나의 끝, 예수의 시작

The End of Me

나의 끝, 예수의 시작

지은이 | 카일 아이들먼
옮긴이 | 정성묵
초판 발행 | 2016. 1. 8
17쇄 발행 | 2016. 5. 24.
등록번호 | 제1988-000080호
등록된 곳 | 서울시 용산구 서빙고로65길 38
발행처 | 사단법인 두란노서원
영업부 | 2078-3333 FAX | 080-749-3705
출판부 | 2078-3332

책값은 뒤표지에 있습니다.
ISBN 978-89-531-2426-4 03230

독자의 의견을 기다립니다.
tpress@duranno.com www.duranno.com

두란노서원은 바울 사도가 3차 전도 여행 때 에베소에서 성령 받은 제자들을 따로 세워 하나님의 말씀으로 양육
하던 장소입니다. 사도행전 19장 8-20절의 정신에 따라 첫째 목회자를 돕는 사역과 평신도를 훈련시키는 사역,
둘째 세계선교™와 문서선교 단행본·잡지 사역, 셋째 예수문화 및 경배와 찬양 사역, 그리고 가정·상담 사역 등을
감당하고 있습니다. 1980년 12월 22일에 창립된 두란노서원은 주님 오실 때까지 이 사역들을 계속할 것입니다.

나의 끝,
예수의 시작

카일 아이들먼 지음

정성묵 옮김

두란노

추천의 글

이 책은 역설의 진리를 가르쳐 준다. 역설의 진리는 천국의 원리다. 이 책은 깨어짐, 애통함, 낮아짐, 마음의 청결, 비움, 탈락, 그리고 약함이 주는 축복을 가르쳐 준다. 벼랑 끝이 새로운 시작임을 가르쳐 준다. 이 책은 예수님과 함께 거듭 새롭게 시작하도록 용기를 준다. 절망 중에 있는 사람에게 희망의 날개를 달아 준다. 예수님과 함께 다시 시작하기를 원하는 분들에게 추천하고 싶다.

강준민 _LA 새생명비전교회 담임목사, 《벼랑 끝에서 웃게 하시는 하나님의 은혜》 저자

모처럼 책을 읽는 중간에 쉬지 않고 단번에 읽어 내려간 책을 만났다. 이 책은 내가 믿음 안에서 계속 도전해 보고 싶은 삶의 내용들을 너무도 정확하게 나타내 주고 있었다. 내가 죽어야 예수님이 사시는데……. 낮아져야 높아지고, 약해져야 강해지는 기독교 변증의 신앙을 너무 쉽고 재미있게 풀어 쓴 책이다. 힘들어하는 이 땅의 젊은이들에게 낮음과 섬김으로 강함에 도전해 보라고 이 책을 강력하게 추천하고 싶다. 우리의 끝은 끝이 아니다. 그것이 바로 예수의 시작이 된다. 정말 귀한 책이다.

김범석 _선한목자교회 협력목사, PPL 상임이사, 《광야를 걷다》 저자

읽기 두려운 책이 나왔다. 삶을 설명하는, 그중에서도 고통을 다루는 이 책이 그렇다. 불편한 마음을 갖고 책장을 넘기기 시작했지만, 얼마 못 가 삶에 대한 저자의 통찰에 '벌써' 고개를 끄덕이며 하나님을 바라보는 나를 발견했다. '목적'이라고 번역할 수도 있는 'end'(끝)라는 단어는 고난을 바라보는 좋은 관점을 준다. 하나님만이 현재 우리가 당하는 고난의 모호한 의미를 이해 가능한 언어로 우리에게 알려 주신다. 그래서 삶을 있는 모습 그대로 살게 한다. 나의 삶의 과정이 내 삶의 목적이 된다.

김병년 _다드림교회 담임목사, 《바람 불어도 좋아》 저자

카일 아이들먼의 책은 늘 도전적이다. 《팬인가, 제자인가》가 진정한 제자가 무엇인지에 대한 본질적 물음이었다면, 《나의 끝, 예수의 시작》은 제자로서 살려는 사람들을 위한 삶의 필수 지침이다. 복음은 늘 역설적이다. 내 삶의 끝에서 예수님이 시작하신다. 복음을 살지 않는 사람에게는 주옥같은 '팔복'의 말씀이 전혀 '복'으로 들리지 않는다. 그러나 제자로 살기 위해 자신을 포기한 사람에게는 예수님의 말씀이 진정한 축복으로 다가온다. 복음을 거스르는 이 시대의 그리스도인들과 교회에게 복음으로 사는 삶이 왜 축복인지를 제시해 주는 책이다!

김병삼 _만나교회 담임목사, 《누가 왕인가?》 저자

카일 아이들먼은 성경을 이 시대의 현실과 잘 버무려서 해석한다. 그래서 《팬인가, 제자인가》처럼 이 책도 쉬우면서도 깊은 공감이 간다. 어떤 글줄에서는 마음이 찔리고 어떤 문장에서는 눈물이 흐른다. 이 책을 읽다 보면 다시 성경을 펴고 싶어지고, 그대로 살고 싶어지고, 다시 기도의 자리로 가고 싶어지고, 예수님을, 나 자신을, 이웃들을 더욱 사랑하고 싶어질 것이다. 책을 펴든 모든 이들이 그 어디에서도 얻을 수 없는 위로와 도전을 받고, 또한 도전받은 데서 머물지 않으며, 자신의 삶의 자리에서 그 생명력 넘치는 인생 살아 내기를 축복한다. 매일 내가 죽을 때 예수가 사시는 그런 복된 인생을 말이다.

김인환 _광교지구촌교회 담임목사, 《교사들이여, 절대로 가르치지 마라》 저자

하나님은 사랑하는 자들에게 고난을 허락하셔서 그들이 소유한 보물이 얼마나 값진 것인지 가르치신다. 예수 믿는 사람도 누구나 거대한 벽 앞에 행로를 가로막힌 절망을 만난다. 카일 아이들먼은 바로 그 순간이야 말로 세상의 철학과 다른 그리스도의 놀라움이 발견되는 현장이라고 우리를 일깨운다. 이 책을 통해 내가 끝나는 지점에서 역설적으로 일하시며 진실된 삶으로 이끄시는 그리스도가 모든 독자들에게 발견되기를 기대한다.

송태근 _삼일교회 담임목사, 《모든 끝은 시작이다》 저자

카일 아이들먼은 미국 기독교의 젊고 새로운 흐름을 대변한다. 자아의 확장을 부추기고 이를 위해 무분별하게 도입되었던 상업주의적 경향을 거스르며, 성경이 가르치는 핵심 메시지에 가닿기 위해 그는 일상의 희로애락을 정면으로 맞대면하고 정직하게 해부해 가며, 새로운 각도에서 복음과 예수 그리스도를 조명한다. 우리 모두가 '자아의 종말'을 '예수의 시작'으로 받아들이기 시작하면 하나님 나라의 부르심이 비로소 이해되기 시작할 것이다.

양희송 _청어람ARMC 대표, 《가나안 성도, 교회 밖 신앙》 저자

저자가 말한 대로, 나를 높이는 법을 알려 주는 책이라면 몰라도 나를 끝내는 법을 읽고 싶은 사람은 세상 어디에도 없을 것이다. 그러나 정말 살고 싶다면, 영을 살리는 메시지를 읽어야 한다. 예수의 제자로 살기로 결단한 모든 이들의 손에 이 책이 들려지리라 기대한다. 그리고 이 책을 읽은 이들 모두에게 나는 죽고, 예수가 사시게 하는 매일의 결단과 매일의 실천이 계속되기를 축복한다.

이찬수 _분당우리교회 담임목사, 《기도하고 통곡하며》 저자

그동안 만났던 사람들이 내게 해 준 공통의 말이 있다. "되돌아보니 실패의 때가 사실 '대박'의 순간이었어요." 그들은 삶을 통해 증명했다. 금이 간 그곳, 수치와 실패, 좌절이란 금 간 그곳을 통해 빛이 들어온다는 사실을. 이 책 저자의 주장은 "나의 끝, 예수의 시작"이란 제목에 고스란히 함축되어 있다. 금이 가 깨지기 직전의 끝자락에서 어렴풋한 빛으로 보이는 그분. 그분으로부터 새롭고 산 길은 시작되리라. 인생에 이미 금이 가버렸다고, 삶이 구겨져 버렸다고 고통스러워하는 사람들에게 특히 추천한다.

이태형 _기록문화연구소 소장, 《더 있다》 저자

예수님을 만난 사람은 예외가 없다. 전부 바닥을 보았고 하늘을 보았다. 아이들먼식 표현으로는 "나의 끝을 보았고 예수님의 시작을 보았다." 《팬인가, 제자인가》로 그와 동행을 시작한 독자들에게 새 책은 날개를 달아 줄 것이다. 함께 비상하면 함께 부를 기쁨의 노래가 있다!

조정민 _베이직교회 목사, 《WHY JESUS 왜 예수인가?》 저자

카일 아이들먼은 이 책에서 기독교의 기본 공식인 '긍정을 위한 부정'을 명확하게 설파했다. 부활로 가는 길은 십자가밖에 없다. 매일 사는 길은 매일 죽는 길밖에 없다. 욥이 한계상황에서 하나님을 보았듯이, 인간의 위기는 하나님의 기회다. 나의 '끝'(end)은 다름 아닌 나의 '목적'(end)이다. 현대판 팔복을 읽는 느낌이다. 이 책을 읽는 자는 진정한 복을 누리게 되나니!

한기채 _중앙성결교회 담임목사, 《삼중혁명의 영성》 저자

지혜롭고 성숙한 사람은 이해력이 남다르다. 카일 아이들먼은 우리 시대의 위대한 젊은 선생 중 한 명이다. 글이 유쾌하면서도 설득력이 있다. 영성, 지성, 감성을 겸비한 탁월한 이야기꾼이 이 책에서 성경의 진리를 참신하고도 시의적절하게 풀어냈다.

릭 워렌 _새들백교회 담임목사, 《목적이 이끄는 삶》 저자

Part 1

나의 끝, **예수의 복**이 시작되는 곳

1

**나의 끝,
온전함을 위한 깨어짐**
———
하나님 나라는 내 잔고가
0이 될 때 시작된다

26

2

**나의 끝,
진정한 기쁨을 위한 애통**
———
울어 마땅한 일에는
울어야 한다

44

Contents

나의 끝에서 비로소 예수를 만났다

이 프롤로그를 쓰려고 교역자실 컴퓨터 앞에 앉아 텅 빈 스크린을 응시하고 있는데 한 간사가 몇 군데서 전화가 왔다고 알려 주었다. 글을 쓰기 전에 일단 그 일부터 처리하기로 했다.

첫 번째 전화는 음성 메시지를 듣고서 답을 남기는 것으로 간단히 마무리되었다. 하지만 다음 전화는 그리 간단하지가 않았다. 나는 '브라이언'이란 남자에게 전화를 걸었다. 그 전에 18개월 된 그의 아들이 몇 주 전에 세상을 떠났다는 메모를 읽었다. 자세한 내막은 모르지만 나 역시 자녀를 둔 아버지로서 가슴이 먹먹했다. 전화번호를 누르면서 나직이 기도를 드렸다. 잠시 후 잔뜩 가라앉은 목소리가 들렸다. "여보세요." 지난 20년 동안 이런 경험을 종종 해 본 터라 이런 상황에서 내가 해 줄 수 있는 말이 별로 없다는 걸 잘 알았다. 그래서 비통한 마음만을 표현한 뒤 침묵으로 대화를 채웠다. 그런데 조금 뒤 브라이언이 충격적인 사실을 전했다.

"제가 후진하다가 쳤어요."

더 길고 무거운 침묵이 흘렀다.

이윽고 정신을 차린 나는 어쩌다 그렇게 되었는지 물었다. 브라이언은 아들이 집 밖에 나온 줄 몰랐다고 했다. 아니, 그는 어린 아들이 문을 열 줄 아는지조차 몰랐다. 아들을 그렇게 떠나보낸 부모의 심정이 어떨지 상상이 가질 않았다. 브라이언의 짧은 설명을 듣고 난 뒤 나는 말도 안 되는 질문을 던졌다. "혹시, 제게 특별히 더 하고 싶은 말씀이 있는 건가요?"

나도 안다. 이것이 별로 적절하지 않은 질문이라는 걸. 이 상황에서 무슨 더 할 말이 있겠는가. 하지만 브라이언이 그 일이 있고 난 뒤 몇 주가 지나서야 전화한 데는 이유가 있을 거라고 판단했다. 뭔가 할 얘기가 있는 게 분명했다.

아니나 다를까, 브라이언은 예수님을 새롭게 발견했다는 이야기를 꺼냈다. 아주 가끔씩 의무감 때문에 교회에 얼굴을 비치던 그가 절실한 심정으로 하나님의 품으로 달려가게 되었다고 고백했다. 나는 뭔가에 이끌리듯 컴퓨터 자판을 두드려, 프롤로그를 쓸 자리에 그가 한 말을 재빨리 적어 내려갔다.

"모든 걸 잃은 것 같은 이 순간, 난생처음으로 예수님의 실재를 만났어요. 무슨 말인지 아시겠어요? 이게 이상한 일인가요?"

물론 난 무슨 말인지 잘 알았다. 그리고 그건 전혀 이상한 일이 아니다. 브라이언은 자신의 끝에서 예수님을 만났다. 나는 브라이언과 그의 가족을 위해 기도해 주고 나서 전화를 끊었다. 이런 놀라운 아이러니를 경험한 사람이 얼마나 될까? 그런 생각을 하다가 퍼뜩 페이스북에 들어가 다음 글을 올렸다.

아래 문장을 완성해 보세요:

_____ 때 예수님의 실재를 만났다.

몇 시간 만에 수백 개의 답글이 올라왔다. 개중에는 전반적인 상황을 이야기한 글이 더러 있었다.

- 더는 어찌할 도리가 없었을 때.
- 내 힘으로 문제를 해결할 수 없다는 사실을 인정해야만 했을 때.
- 내가 얼마나 약한 존재인지를 절실히 깨달았을 때.
- 아무 데도 기댈 곳이 없었을 때.
- 나를 아는 모든 사람이 내게 등을 돌렸을 때.

그러나 대부분의 대답은 이처럼 구체적이었다.

- 말기 암으로 몇 개월밖에 살지 못한다는 청천벽력 같은 통보를 받았을 때.
- 남편이 다른 여자와 바람나서 집을 나갔을 때.
- 아버지의 총을 손에 쥐고 방아쇠를 당기기 전에 마지막으로 기도를 드렸을 때. 그 기도는 참으로 오랜만에 드린 기도였다.
- 중독을 이겨 낼 수 있다는 자신감을 완전히 상실했을 때.
- 이혼서류가 날아왔을 때.
- 예수님이 이 땅에서 가장 어두운 구석인 스트립클럽까지 찾아와 나를 향한 사랑을 보여 주셨을 때. 그때 그분이 나를 찾지 못하는 곳은 없음을 절실히 깨달았다.
- 우울증이 참기 힘들 만큼 깊어졌을 때.
- 30년 동안 청춘 바쳐 일했던 직장에서 아무 대책도 없이 쫓겨났을 때.
- 병원에서 심부전이라는 이유로 낙태를 권했을 때. 그때 난생처음 밤새도록 기도했다. 지금 내 딸은 스물세 살이다.
- 가정을 되살릴 힘이나 포르노 중독을 이길 힘이 내게 없다는 걸 마침내 깨달았을 때.
- 남편이 자동차 사고로 세상을 떠났을 때.
- 초음파 검사로 태아의 심장박동이 멈춘 것을 확인했을 때.

답글을 쭉 읽어 내려가다가 이 모든 대답을 하나로 집약시킨 듯한 글을 발견했다. 브라이언과 내 페이스북 친구들의 말은 결국 이

한마디로 정리할 수 있다.

나의 끝에 이르렀을 때 비로소 예수가 나에게 실재가 되었다.

살다 보면 누구나 위와 같은 고통스러운 상황을 만나지만 '나의 끝'에 이르는 건 한차례의 사건으로 끝나는 경우가 별로 없다. 나의 끝으로 가는 길은 실은 매일같이 걸어야 하는 길이다. 왜냐하면 나의 끝이야말로 예수님이 나타나시고 그분 안에서 진정한 삶이 시작되는 지점이기 때문이다.

이 길은 결코 쉽지 않다. 내가 그곳에 이르기를 원하지 않아서다. 난 어려움을 좋아하지 않는다. 내가 원하는 건 어디까지나 내 발전과 성공이다. 나를 높이는 법을 알려 주는 책이라면 몰라도 나를 끝내는 법을 읽고 싶은 사람은 세상 어디에도 없다. 하지만 누가복음 9장에서 예수님은 목숨을 부지하고자 하는 자는 잃을 것이지만 생명을 잃는 자는 찾을 것이라고 말씀하셨다. 이 외에도 예수님은 역설적으로 보이는 말씀을 많이 하셨다.

우리는 모두 잘 살다가 떠나기를 바란다. 그런데 우리의 자아가 그분의 길을 가로막으면 내가 살아야 할 진정한 삶을 놓칠 수밖에 없다. 사랑하고 사랑받고 세상에 선한 영향력을 끼치는 삶, 일시적인 행복이나 세상이 말하는 성공 그 이상의 삶. 당신도 내면 깊은 곳에서는 그런 삶을 원하고 있지 않은가?

이제부터 그 길을 구체적으로 알아보겠다. 우선 이 책의 전반부에서는 산상수훈의 팔복 중 네 가지를 집중적으로 파헤칠 참이다. 이 가르침이 우리를 진정한 삶으로 안내해 줄 것이다. 단, 각오를 단단히 하라. 이 가르침은 당신 이성이 가리키는 방향과는 정반대일 테니. 예수님이 우리에게 가르치시는 삶은 단순히 반문화적인 게 아니라 반직관적이다. 얼핏 보기에는 전혀 옳은 길처럼 보이지 않는다. 그래서 나는 각 장에서 그리스도의 역설적인 가르침 중 내가 주목한 한 가지에 초점을 맞췄다. 이 가르침을 통해 가장 뜻밖의 지점에서 복이 시작되고 참된 만족이 발견된다는 사실을 깨닫게 될 것이다. 그것은 바로 '내가 끝나는 지점'이다.

후반부에서는 나의 끝에 이르러 자신의 연약함을 깨달을 때 비로소 하나님께 크게 쓰일 수 있다는 역설적인 개념을 살펴보려 한다.

진정한 삶은 내가 끝나는 곳에서 시작된다. 이 책으로 예수님이 당신을 당신의 끝으로, 그분 안에서 펼쳐지는 진정한 삶으로 인도해 주시기를 간절히 기도한다.

나에게 쓰는
편지

나에게.

널 안 지도 내 나이만큼 오래되었지. 형제보다도 가까운 친구가
있다고 하는데 꼭 우리를 두고 하는 말 같아. 평생 많은 사람과 가까
이 지냈지만 너와 난 떨어질 수 없는 사이야.

돌이켜보면 난 널 참 잘 대해 줬어. 그렇지 않니? 내가 세상 누구
보다도 널 가장 먼저 챙겼잖니. 나한테는 항상 네가 최우선이었어.
늘 네 접시에 가장 큰 과자를 놓았고 네 차를 가장 좋은 주차 공간으
로 안내했지. 어느 곳을 가나 가장 푹신한 의자에 널 앉혔고 말이야.

학교에서도 네가 좋아하는 것을 챙겨 주려고 애썼지. 넌 특히 '관

심'을 좋아했어. 그래서 난 모든 관심을 네게 집중시키려고 별짓을 다했지. 요즘은 인터넷 덕분에 일이 좀 수월해졌어. 네 멋진 모습을 담은 사진만 올리면 누구나 네가 꿈같은 삶을 살고 있다고 믿잖아. 사람들이 너에게 쓴 댓글을 봤니? 네가 괴로워할 때도 난 그 사실을 철저히 비밀에 부치려고 노력했어. 난 네 행복을 위해서라면 물불을 가리지 않는 친구였어.

그런데 그거 아니? 네가 소박한 시골 소년이었을 때는 그나마 네 기분을 맞추기가 훨씬 편했어. 그때는 사탕 하나면 끝이었지. 그런데 네가 한두 살씩 나이를 먹을 때마다 조금씩 힘들어지기 시작했어. 넌 매번 1등을 독차지하면서도 겸손해 보이길 원했어. 그러니 내가 얼마나 힘들었겠니?

결혼생활을 예로 들어 볼까? 결혼식 때 넌 너 자신보다 아내를 더 사랑하고 아끼겠노라 약속했어. 하지만 이후에도 넌 늘 너부터 챙겨 달라고 졸라댔지. 가끔 한밤중에 머릿속에 작은 목소리가 들려. '아내가 좀 더 잘 수 있게 어서 일어나 우는 아이를 돌봐 줘.' 그게 '네' 목소리는 아닌 게 확실해. 네가 새벽 3시에 침대에서 나오기를 원할 리가 없잖아. 넌 항상 '자는 척해'라고 말하지. 그러면 난 대개 유혹에 넘어가 아내보다 널 더 위하고 말지.

넌 중요한 정보를 숨기는 데 선수야. 스포츠용품점에 들어갔을 때도 네 그 버릇이 여지없이 나왔지. 네가 기뻐하는 모습을 보고 싶기는 하지만 우리는 먼저 예산을 따져 봤어야 했어.

사실, 넌 내일 일은 전혀 생각하지 않고 당장 기분이 내키는 대로 행동하는 것 같아. 널 위해 사람들에게 심한 말을 내뱉었던 걸 생각하면 후회스러워. 넌 그런 말이 가져올 혼란에 관해 일말의 경고도

해 주지 않았지. 넌 한 번 뱉은 말은 주워 담을 수 없다는 사실을 알려 주지 않았어.

널 사랑하기는 해. 하지만 계속해서 널 위해 살 수는 없어. 넌 널 행복하게 해 주면 나도 행복해질 거라고 주장했지. 하지만 그렇게 간단하지가 않아. 지금까지 삶의 운전대를 너한테 맡겨 봤지만 아무래도 넌 믿을 만하지가 않아. 넌 어디로 가야 할지를 안다고 계속 우기는데 널 따라간 결과는 항상 막다른 골목이었어.

그간 다른 길을 알아봤는데 드디어 내가 갈 새로운 길을 찾았어. 좁고 힘든 길이야. 그래서 사람들이 좀처럼 선택하지 않는 길이지. 하지만 이 길만이 참되고 풍성한 삶으로 이어진다는 걸 알았어. 마지막으로 할 말이 있어. 차마 입이 떨어지지 않지만, 널 데리고는 이 길을 갈 수가 없어.

그래서 이제 너와는 끝이야.

널 사랑하는 내가.

나의   끝,

the end of me

예수의 복이
시작되는 곳

나의 끝,
온전함을 위한 깨어짐

chapter 1

하나님 나라는
내 잔고가 0이 될 때
시작된다

한밤중인데 눈이 멀뚱멀뚱하고 도무지 잠이 오질 않았다. 뒤척이다 다시 컴퓨터 앞에 앉아 유튜브 영상을 봤다. 화면에는 "춤의 진화"란 제목의 동영상이 나오고 있었다.[1] 조회수가 286,488,088이나 된 걸 보니 당신도 이미 봤을 가능성이 높다.

그러나 곧바로 다른 동영상으로 넘어간 통에 제대로 보지도 못했다. 이런 행동을 '유튜브 채찍질'(YouTube whiplash: 무의식적으로 한 동영상에서 다른 동영상으로 휙 넘어가는 행동)이라고 부른다. 어쨌든 한 남자가 신명나게 몸을 흔드는 동영상에서 갑자기 파라과이의 한 가난한 동네에 관한 다큐멘터리 동영상으로 넘어갔다.

분위기가 확 바뀌었다. 지독한 가난이 화면을 점령했다. 이 동네는 매일 1,500톤의 쓰레기가 쌓이는 쓰레기 매립지에 있다. 망가진 잡동사니가 사방에 가득한 땅. 이 땅이 이 사람들의 고향이다. 100명이 좀 넘는 주민들은 매일 쓰레기 더미에서 찾은 물건을 재활용하거나 팔아서 연명한다. 예전에 가난한 국가를 찾아갔을 때 이런 곳을 실제로 본 적이 있다. 이런 쓰레기 더미에 가까이 다가가면 절망의 냄새가 진동한다. 모든 것이 수리가 불가능할 정도로 망가져 보인다. 하지만 계속해서 보다 보면 뭔가 특별한 게 나타난다.

이 파라과이 마을은 쓰레기 말고도 다른 것으로 유명하다. 그것이 무엇인지는 이 동영상을 보지 않고서는 짐작조차 할 수 없다. 바로 …… 훌륭한 오케스트라다. 흔히 볼 수 있는 스트라디바리우스 바이올린과 그랜드피아노로 구성된 대도시 필하모닉이 아니다. 쓰레기 더미 한복판에 사는 빈민가 아이들로 구성된 오케스트라다.

어느 날 이 마을을 방문한 환경공학자이자 시간제 음악강사, 파비오 차베스는 눈앞에 펼쳐진 지옥 같은 현실과 아무도 그 상황을 개선하기 위해 노력하지 않는다는 사실에 큰 충격을 받았다. 그래서 그는 그곳에 작은 음악 학교를 열겠다고 공표했다.

배움에 목마른 아이들이 줄지어 몰려왔다. 문제는 악기가 없다는 것이었다. 하지만 차베스는 그 문제에 대한 대책도 이미 마련해 두었다. 그는 쓰레기 언덕에서 뭐든 찾아낼 수 있는 니콜라스 고메즈라는 넝마주이를 찾아가 부탁했다. "특별한 쓰레기를 좀 찾아 주십시오. 악기로 재활용할 수 있는 건 뭐든 갖다 주세요." 차베스는 기름통과 낡은 조리기구로 첼로를, 작은 캔을 모아 플루트를, 통에 낡은 엑스레이 필름을 씌워 드럼을, 찌그러진 알루미늄 샐러드 그릇과 포크로 바이올린을 만들어 냈다.

보통 사람 같으면 그곳에서 그저 슬픔을 보고 절망의 냄새만 맡았을 것이다. 하지만 차베스는 현재의 소리가 아닌 미래의 소리를 들었다. 그의 귀에는 쓰레기 더미 속에서 흘러나오는 음악이 똑똑히 들렸다. 바로 희망의 노래였다. 이렇게 탄생한 '랜드필하모닉'(Landfill Harmonic)은 쓰레기 더미 한복판에서도 희망을 발견할 수 있다는 사실을 보여 주는 증거다. 폐품으로 만든 고물 악기를 손에 든 아이들의 오케스트라!²

당신과 나는 쓰고 버리는 소비문화 속에서 살고 있다. 클릭 한 번이면 반짝거리는 새 상품을 살 수 있는 세상이다 보니 아무도 재활용품으로 아름다운 뭔가를 만들 수 있다는 생각을 하지 않는다. 물건이 망가지면 쓰레기통에 버리고 새로 사면 그만이다.

하지만 복음서를 펼치면 장마다 랜드필하모닉의 음악이 울려 퍼진다. 내 귀에는 그 음악이 똑똑히 들린다. 복음의 이야기 전체를 아는 사람이라면 누구나 그 음악을 들을 수 있다. 천국의 보좌를 떠나 이 쓰레기 매립지로 내려오신 예수님. 완벽한 삶을 포기하고 깨어짐과 고통의 삶을 선택하신 분. 그분은 통곡 소리를 웃음으로 바꿔 주셨다.

사람들은 예수님을 바보요 미치광이라고 불렀다. 그분 주변에는 온통 절망만 가득했다. 하지만 그분이 깨어진 삶의 쓰레기 조각으로 이루신 역사는 우리가 감히 상상조차 할 수 없을 정도다.

▲▲ 심령이 파산한 자는 복이 있나니

예수님의 가장 유명한 가르침은 산상수훈이다. 말 그대로 예수님은 산 위에서 제자들에게 새로운 삶의 방식을 설파하셨다. 그분은 이 땅의 쓰레기 매립지 한복판에 하나님 나라를 이루시는 중이었다. 세상 기준으로 볼 때 그것은 차베스의 아이디어처럼 비상식적이었다. 당연히 사람들로서는 어리둥절할 수밖에. 위가 아래고, 쓰레기가 보물이라는 게 말이 되는가? 예수님은 나의 끝에 이르렀을 때 그분 안에서 진정한 삶을 발견할 수 있다는 하나님 나라의 위대한 역설을 전파하기 시작하셨다.

'이 세상의 나라에서 내려가는 것이 하나님 나라에서는 올라가는 것이다.' 이 얼마나 혁명적인 가르침인가. 이 새 나라에서는 새로운 법이 다스리는데 그 법은 하나같이 낡은 법과 상반된다. 그런 의미에서 일부 신약학자들은 예수님의 이 선언을 "대역전"(Great Reversal)이라 부른다. 예수님의 이 가르침은 예나 지금이나 반직관적이다.

하지만 예수님은 '외적인' 규칙이나 법에 관한 말씀을 하신 게 아니다. 이것은 시대의 흐름에 관한 말씀도 아니요 로마의 전복을 암시하는 말씀도 아니다. 그 모든 것은 삶의 '표면'일 뿐이다. 예수님은 조금 더 깊이 들어가, 우리 내면을 다루길 원하셨다. 내면이야말로 표면을 형성하는 근원이다. 하나님 나라의 도래는 내적 작업으로 시작된다.

예수님은 매우 특이한 역설 목록으로 설교의 포문을 여셨다. 여기서는 그중에서 네 가지를 집중적으로 파헤칠 것이다. 이것은 얼핏 황당하게 들리지만 우리의 개인적인 경험에 비추어 곱씹을수록 서서히 이해되는 것들이다.

예컨대, 예수님의 첫 번째 진술은 전혀 뜻밖의 사람들에게 궁극적인 상을 약속하고 있다.

심령이 가난한 자는 복이 있나니 천국이 그들의 것임이요(마 5:3).

"가난한 자는 복이 있나니." 혹시 이 말에 환호성을 질렀는가? "야호! 나는 완전히 파산했으니까 복 받은 거야!"

그러다 문득 예수님이 잘못 말씀하신 게 아닐까 하는 의심이 든다. '부유한 자는 복이 있나니'라고 말씀하시려다가 말이 헛나온 게 아닐까? 실제로 부자들은 부유하다는 의미로 '복 받았다'라는 표현을 자주 사용하지 않는가.

물론 "심령이"라는 조건이 붙어 있다. 여기서 예수님은 돈에 관한 말씀을 하신 게 아니다. 하지만 그렇다고 해도 달라질 건 없다. 우리가 생각하는 복 받은 삶은 어디까지나 부족한 게 아니라 넘치는 삶인데, 특히 예수님이 여기서 "가난한"으로 사용하신 단어가 '파산한'으로도 번역되는 단어라는 점을 감안하면 말이다.

'심령이 파산한 자는 복이 있나니. 완전히 파산해서 내놓을 게 하나도 없는 자는 복이 있나니.' 생각할수록 충격적인 말씀이다. 나의 끝에 이르러, 내놓을 것이 하나도 없다는 사실을 절감할 때, 비로소 내 안에서 하나님 나라가 시작된다니. 이 세상의 논리와는 철저히 대치된다.

쫄딱 망한 사람은 어떻게 행동하는가? 세상이 자기 손바닥 안에 있는 것처럼 굴지 않는다. 모든 답을 알고 있는 것처럼 거들먹거리지도 않는다. 그의 심령은 시궁창에 처박혀 있다. 그런데 예수님은 바로 이런 심령을 칭찬하신다. 쓰레기 더미 속의 저 남자야말로 복받은 사람이란다.

세상은 늘 자신감을 내비치라고 가르친다. 요컨대, '심령이든 뭐든 부유하라!', '쓰레기 더미 위가 아니라 세상의 꼭대기에 서라!'라고 말이다. 하지만 하나님 나라는 잔고가 '0'이 될 때 시작된다. 내놓을 거라곤 눈을 씻고 찾아봐도 없을 때 비로소 전진하기 시작한다. 이 얼마나 혁명적인 개념인가.

▲▲ 심하게 깨진 인생들

예수님 말씀에 따르면 이 세상에 멀쩡한 사람은 단 한 명도 없다. 우리 모두는 깨어져 있다. 그렇다면 우리는 어떻게 깨어져 있는 걸까?

누가복음 7장은 우리를 '시몬'이란 종교 지도자의 집에서 벌어지는 저녁 만찬회장으로 안내한다. 시몬은 그 자리에 예수님을 초대했다. 그는 예수님의 추종자였을까? 그렇지는 않아 보인다. 시몬이 예수님을 위해서 한 일이라곤 달랑 초대장 한 장 보낸 게 전부다. 누가

복음을 읽어 보면 예수님이 얼마나 푸대접을 받으셨는지 적나라하게 확인할 수 있다.

이런 만찬회에는 분명한 예법이 있었다. 일단, 환영의 표시로 손님의 손에 입을 맞추어야 했다. 하지만 시몬은 시작부터 예의를 무시했다. 또한 그곳은 사시사철 먼지가 날리는 지역이다 보니 발을 씻는 게 일상이었다. 당시는 포장길이 없었기 때문에 지인의 집을 방문하면 꼭 발을 씻어야 했다. 이런 만찬회에서는 주최 측에서 내빈들의 발을 씻어 주는 것이 예의였다. 그런데 시몬은 이 절차도 건너뛰었다. 최소한 스스로 씻을 물이라도 떠 줘야 했건만 그는 그마저도 하지 않았다.

또 특별한 환대의 표시로 손님의 머리에 기름을 부어 줄 수 있었다. 이때 기름은 길거리 좌판에서 파는 싸구려가 아니라 최고급을 사용해야 했다. 짐작했겠지만 예수님께는 기름부음도 없었다.

오해하지는 마라. 나는 예의를 따지는 사람이 아니다. 심지어 나는 상을 차릴 때 나이프와 포크를 가지런히 놓을 줄도 모른다. 하지만 그런 나도 아내가 시범을 보여 주면 하는 시늉이라도 한다.

그런데 시몬은 시늉조차 하지 않았다. 그는 해 보려다가 실패한 게 아니다. 애초에 할 생각이 없었다. 만찬회장의 모든 사람이 그것을 알았다. 다시 말하지만 시몬은 종교 지도자다. 그런 사람이 고관대작들 앞에서 종교적 법을 무시했다. 이는 그가 예수님의 가르침을 어떻게 생각하는지 알 수 있는 대목이다. 어디 시몬만 그런가? 돈과 권력을 손에 쥐면 시몬처럼 대부분 교만에 빠진다.

그런데 식사 도중에 한 여인이 난입해 잔치의 흥을 깬다. 이 여인은 예의 없는 불청객이다. 갑자기 찬물을 끼얹은 듯 분위기가 싸늘해진다. 누가복음 7장 37절은 이 여인이 "죄를 지은 사람"이라고 기록했다. 이는 매춘부를 에둘러서 표현한 것이다. 그렇다. 그날 한 창녀가 지체 높은 종교 지도자의 집을 방문했다. 시몬의 눈살이 찌푸려졌을 게 분명하다. 종교 지도자의 집은 더러운 창녀가 함부로 출입할 만한 곳이 아니다.

이 여자는 왜 경건한 자들의 저녁 식탁에 나타났을까? 고결해 보이는 사람들 앞에서 그녀는 수치심과 굴욕감 같은 온갖 부정적인 감정을 느꼈을 것이다. 하지만 뭔가가 그녀를 이곳으로 이끌었다. 그동안 그녀는 혹시 사람들을 피해 먼발치에서 예수님 말씀을 들었던 게 아닐까? 믿기지 않을 만큼 좋은 나라에 관한 말씀을 말이다. '혹시 내가 대역전의 주인공이 될 수 있지 않을까?' 그녀는 이렇게 생각했을지도 모른다.

사방에서 비수와 같은 시선이 날아온다. 하지만 이 여인의 눈에는 예수님만 보인다. 그러다 어느 순간, 예수님과 눈이 마주친다. 그분의 눈에는 일말의 정죄도 없다. 치워야 할 쓰레기 더미를 바라보는 눈빛이 아니다. 여인은 깨어진 인간이고, 스스로 그것을 잘 알았다. 하지만 예수님은 다른 뭔가를 보셨다.

여인은 '아름답게' 깨어진 존재다. 이 장면을 머릿속에 그려 보라. 예수님이 탁자에 몸을 기대고 계신다. 어떤 이유에선지 의자에 앉는 것은 예의가 아니었다. 사람들은 바닥에 앉아 팔꿈치 밑에 쿠션을 깔고 탁자에 비스듬히 기대어 있다. 그 자세에서 발은 탁자에서 멀리 떨어져 있다.

그래서 여인이 예수님께 다가갈 때 처음 닿은 곳은 그분의 발이었다. 시몬이 씻겨 드리지 않은 그 발. 그 순간, 장내가 쥐 죽은 듯 조용해진다. 랍비와 창녀 사이에서 어떤 일이 벌어질까?

여인은 머뭇거리며 주변을 둘러본다. 역시나 혐오와 거부의 눈빛이 쏟아지고 있다. 심지어 분노로 이글거리는 눈도 보인다. 어색한 분위기를 참지 못해 땅바닥을 응시하는 이들도 있다. 그들 중에는 여인이 자신의 이름을 부를까 봐 떨고 있는 자들도 있었을지 모른다. 여인의 몸을 샀던 것이 이 자리에서 밝혀지기라도 하면 앞으로 어떻게 고개를 들고 다닌단 말인가.

이윽고 여인과 예수님의 시선이 정면으로 마주친다. 그 순간, 예수님이 환하게 웃으신다. 그랬으리라 확신한다. 예수님께 여인의 방문은 깜짝 선물과도 같았을 것이다. 예수님께 그녀는 쓰레기가 아니라 보물이었다. 예수님께 그녀는 억지로 받아들여야 하는 존재가 아니라 한없이 반가운 존재였다.

그 웃음에 여인의 빗장이 풀린다. 이제 여인은 자신의 끝에 이른다. 툭툭 눈물 방울이 떨어진다. 그러다 이내 펑펑 눈물을 쏟는다. 진정한 사랑 앞에서 여인은 무너지듯 주저앉아 땀과 흙으로 범벅이 된 예수님 발에 입을 맞추기 시작한다. 눈물이, 시몬이 제공했어야 할 발 씻을 물이 된다.

눈물의 재미난 점은, 눈물이 우리 눈을 가득 채울 때 상황을 가장 분명하게 볼 수 있다는 것이다. 여인은 예수님의 발이 씻기지 않았다는 것을 본다. 그 순간, 무엇을 해야 할지 더없이 분명해졌다. 하지만 주인에게 수건을 달라고 할 처지가 못 된다. 그래서 자신의 머리카락을 풀어헤친다. 당시 여인들은 밖에 나갈 때 항상 머리를 묶고 나갔다. 여인이 남편이 아닌 남자를 위해 머리카락을 풀면 명백한 이혼 사유가 됐다. 따라서 여인이 머리카락을 풀 때 침 넘어가는 소리가 들릴 만큼 장내가 조용해졌으리라.

시몬은 충분히 물과 깨끗한 수건을 제공할 수 있었다. 아니, 그래야만 했다. 그런데 어디서 온지도 모르는 이름 모를 여인이 자기 눈물을 발 씻을 물로, 자신의 머리카락을 수건으로 사용했다. 더러운 여인이 정화를 몸으로 구현했다. 하지만 당시 그 자리에 있던 사람들은 이 아름다운 광경을 보지 않았을 것이다. 그들에게 그것은 추악한 스캔들의 장면일 뿐이었다.

여인이 이번에는 향유를 꺼낸다. 창녀들에게 향유는 필수품이었다. 향유 한 방울에 남자 한 명을 유혹할 수 있었다. 그런데 여인은 예수님의 발에 향유를 병째로 전부 쏟아 붓는다. 이제 그녀에게 향유는 더 이상 필요하지 않기 때문이다. 그녀는 자신을 새사람으로 바꿔 주신 분께 자기가 가진 전부를 내놓는다. 그녀는 이제 깨끗해진 그분의 발에 끊임없이 입을 맞춘다.

항상 예상을 깨는 가르침을 펼치셨던 예수님은 이번에도 모두가 의롭다고 말하는 남자와 모두가 악하다고 말하는 여자를 정반대로 다루신다. 시몬에게는 꾸지람을 하셨고, 여인을 위해서는 축복과 구속의 말씀을 하셨다. "네 죄 사함을 받았느니라"(눅 7:48). 예수님은 이 말씀으로 "심령이 가난한 자는 복이 있나니"라는 약속을 이행하셨다.

▲▲ 우리가 바로 '그 사람들'이다

이 이야기 속에서 당신은 누구이고 싶은가? 예전에 이 이야기로 설교할 때는 "이 이야기 속 인물 중에서 당신은 누구와 가장 비슷합니까?"라는 질문을 던졌다. 하지만 생각할수록 정말 중요한 질문은 우리가 누구와 가장 닮았는가가 아니라 누구와 가장 닮고 '싶은가'이다.

당신 마음대로 선택할 수 있다면, 돈과 권력을 갖고 모두의 존경을 받는 종교 지도자나 대궐처럼 으리으리한 집에서 날마다 진수성찬을 즐기는 사람이 되고 싶은가? 아니면 사회에서는 천대를 받지만 예수님께는 사랑과 은혜를 받는 사람이 되기를 택하겠는가? 이것은 정말 까다로운 질문이다. 왜냐하면 우리는 대부분 둘 다를 원해서다. 특히 예수님을 믿은 지 꽤 오래된 사람이라면 선뜻 하나를 고르지 못한다. 쉽게 말해, 우리는 깨어지지 않고도 온전해지기를 원한다.

우리는 마침내 "아, 예수님, 이제 알겠어요! 이제부터는 제 부와 지위를 좀 더 현명하게 누릴게요"라고 말하는 시몬이 되기를 원한다. 그러나 이 전략은 실패할 수밖에 없다. 우리는 모두 이미 깨어진 존재이기 때문이다.

개중에 자기 실체를 남들보다 잘 감추는 사람들이 있지만 허울을 벗겨 보면 역시나 깨어져 있다. 누가복음 7장에서 이 여인의 깨어짐은 고통스러울 정도로 훤히 드러난다. 초대받지 않은 연회장 한복판에서 바닥에 쓰러진 채 흐느끼는 여인.

하지만 시몬은 어떤가? 인생의 처음 12년간 성경의 처음 열두 권을 외우며 살아온 바리새인. 열다섯 살 때 그는 구약 전체를 줄줄 외웠다. 이는 메시아에 관한 300개에 달하는 예언을 토씨 하나 틀리지 않고 암송할 줄 알았다는 뜻이다. 그런데 마침내 그 메시아를 코앞에서 보게 되었을 때 그는 어떻게 행동했는가?

시몬은 예수님을 불청객처럼 대했다. 그렇게 그도 깨어져 있었다. 아니, 그야말로 '진정' 깨어져 있었다. 자신의 심각한 상태를 모르는 것이야말로 진정으로 깨어진 게 아니고 무엇이겠는가. 이 이야기에서 깨어진 여인은 선함과 완벽함을 알아봤다. 하지만 깨어진 남자는 그렇게 하지 못했고, 자신이 눈 뜬 장님이라는 사실도 깨닫지 못했다. 자신의 깨어짐을 보지 못할수록 더 깨어진 것이다. 이 역시 역설적인 진리다. 내가 당신을 깨뜨릴 필요도 없다. 당신 스스로 깨어질 필요도 없다. 당신은 이미 깨어져 있다. 성경은 분명 그렇게 말한다. "모든 사람이 죄를 범하였으매 하나님의 영광에 이르지 못하더니"(롬 3:23). 따라서 진짜 문제는 당신이 자기가 깨어졌다는 사실을 깨닫고 인정하느냐 하는 것이다.

우리 모두는 이미 깨어져 있다. 연약함에 관한 사회학자 브레네 브라운의 강연을 담은 TED 동영상은 지금까지 1,500만 번의 조회수를 기록했다. 그 인기 비결은, 깨어졌다는 사실을 극구 부인하면서도 내심 그 사실을 인정할 자유를 사람들이 원한다는 걸 정확히 짚어 냈다는 데 있다.

브라운은 이런 깨어짐에 예외가 없다는 사실을 분명하게 지적한다.

> 우리가 바로 '그 사람들'이다. …… 우리는 한 번의 임금 체불, 한 번의 이혼, 한 명의 마약 중독자 자녀, 한 번의 정신병, 한 번의 중병, 한 번의 성폭력, 한 번의 폭음, 한 번의 성병, 한 번의 불륜이면 '그 사람들'이 될 수 있다. 우리가 믿지 못하는 사람들, 우리가 경멸하는 사람들, 우리가 자녀들에게 어울리지 말라고 신신당부하는 사람들, 천벌을 받아 마땅한 사람들, 절대 이웃으로 두고 싶지 않은 사람들. 우리도 얼마든지 그런 사람이 될 수 있다.[3]

우리가 바로 '그 사람들'이다. 남들의 상처를 나 몰라라 하고, 교회 가는 길에 차 안에서 서로에게 고함을 지르다가 도착해서는 아무 일도 없었다는 듯 활짝 웃으며 차에서 내리고, 규칙을 만들어 지키기만 하면 하나님의 사랑을 더 많이 받을 수 있다고 착각하는 사람들이다. 우리가 바로 번듯한 삶의 외양을 유지하기 위해 빚의 구렁텅이에 빠지고, 우리와 다른 사람을 차별하고, 꼼수를 부리고, 포르노에 중독된 사람들이다. 또 자신의 가치를 증명해 보이기 위해 매일같이 야근하고 그것도 모자라 주말까지 반납하는 사람들이다. 우리가 벽에 구멍이 뚫리고 창문이 덜컹거리는 집에 사는 사람들이다.

그러면서도 남들보다 잘 사는 척하기 위해 밤낮없이 소셜 미디어에 매달리는 사람들이다.

내면 깊은 곳에서 우리는 깨진 조각을 완벽히 붙일 수 없다는 사실을 알고 있다. 하지만 우리는 어떻게든 자기 상태를 인정하지 않으려고 애쓴다. 게다가 모든 것이 사소한 문제일 뿐이니 대수롭게 여길 필요가 없다고 속삭이는 목소리가 귓가에서 끊이질 않는다. 또 그럴싸한 삶의 모양을 유지하지 않으면 우리 삶이 무너져 내릴 거라고 말하는 목소리가 너무 많다. 기분 좋은 생각만 하라고 달콤하게 속삭이는 소리도. 나쁜 생각을 하지 않으면 나쁜 일이 다 비껴간단다.

그래서 현대 사회는 허상에 빠져 사는 사람, 고통을 감추는 전문가, 약물 남용자, 빚의 노예, 맹목적으로 유행을 좇는 사람, 외로운 사람으로 가득하다. 깨어짐에 대한 유일한 해법은 자신의 깨어짐을 인정하는 것이건만.

해결책은 자기 심령이 완전히 파산해서 아무것도 내놓을 게 없음을 전적으로 인정하는 것이다. 하지만 현대 사회에서는 이것이 유일한 해법이라고 외쳐 봐야 아무도 귀를 기울이지 않는다. 자신의 깨어짐을 깨닫게 도와주는 세미나에 비싼 회비를 내고 참여할 사람은 아무도 없다. 심지어 수백 달러를 줄 테니 아무나 오라고 해도 파리만 날릴 게 뻔하다. 트위터나 페이스북에 자신의 깨어진 모습을 올리는 사람도 없다.

하지만 예수님이 우리에게 제시하신 유일한 희망은 바로 깨어짐을 인정하는 것이다. 이 역설적인 방식이야말로 궁극적으로 깨어진 것을 바로잡을 유일한 길이다.

▲▲ 버리지 않고 다시 빚으시는 분

당신도 나도 멀쩡하지 않다. 우리는 자선단체에서 걸어 가는 옷처럼 '양호한 중고품' 수준이 아니다. 볼썽사납게 찢어진 자들이다. 깨어진 세상을 활보하는 깨어진 존재들이다. 좋은 소식은, 하나님이 깨어진 것을 온전하게 회복시켜 주신다는 것이다. 하나님은 아무도 거들떠보지 않는 폐품으로 그분만이 하실 수 있는 작업을 하신다. 그분은 깨어진 것을 아름답게 고치는 걸 즐기신다.

《깨어짐》(*Lord, Break Me*, 전도출판사 역간)이란 책에서 윌리엄 맥도널드는 물질 세상에서는 깨어진 것이 가치를 잃는다고 말한다. 유리컵이든 접시든 깨어진 건 버려진다. 흠집이 나면 그것으로 끝이다. 하지만 영적 세계에서는 깨어진 것이 귀하다. 깨어진 사람들은 하나님의 아름다우심과 능력을 드러낸다.

한번은 하나님이 예레미야 선지자를 토기장이의 집으로 보내 다음 지시를 기다리게 하셨다. 예레미야가 그곳에 도착해 보니 토기장이가 부지런히 녹로를 돌려 그릇을 빚고 있었다. 그런데 그만 실수로 그릇이 터지고 말았다. 하지만 토기장이는 개의치 않고 진흙을 다시 주물러 "자기 의견에 좋은 대로"(렘 18:4) 만들기 시작했다.

그때 하나님 말씀이 찾아왔다. "이스라엘 족속아 이 토기장이가 하는 것 같이 내가 능히 너희에게 행하지 못하겠느냐 이스라엘 족속아 진흙이 토기장이의 손에 있음 같이 너희가 내 손에 있느니라"(6절).

망가진 토기를 버리지 않고 다시 녹로를 돌리시는 토기장이 하나님. 이 얼마나 아름다운 이미지인가. 토기장이는 "자기 의견에 좋은 대로" 또 다른 그릇을 만들었다. 같은 진흙이지만 완전히 새로운 그릇이 된다. 망가진 진흙 한 덩이가 예술로 승화된다. 그래서 나는 늘 이렇게 기도한다. '하나님, 제 깨진 조각을 당신 의견에 좋은 대로 다시 빚어 주십시오.'

문제는 우리가 갈라진 금을 솔직히 드러내 보일 수 있느냐 하는 것이다. 죽어도 약함을 보이기 싫어하는 사람이 참 많다. 우리는 실수나 흠, 상처 위에 어떻게든 덧칠을 해서 흔적을 없애려고 한다. 하지만 하나님은 '킨츠기' 장인의 눈으로 우리의 깨어짐을 바라보신다. 킨츠기란 일본에서 1,500년에 걸쳐 발전해 온 도자기 보수 기술이다. 킨츠기 예술에서는 깨어진 도자기 조각을 붙여 보수하되 금을 감추지 않고 오히려 황금으로 깨진 부분을 부각시킨다.

원래 망가진 것을 보수한 물건은 싸게 팔리지만 킨츠기 도자기는 그렇지 않다. 오히려 깨지기 전보다 훨씬 더 아름다워서 비싼 값에 팔려 나간다. 그러다 보니 일부러 비싼 도자기를 깨서 금으로 보수하는 수집가도 많다는 말이 있다. 이처럼 천국에서도 깨어진 것이 가장 귀하다.

바로 이것이 예수 그리스도를 통한 하나님의 구속하시는 능력이다. 우리가 마침내 자신의 끝에 이르러 깨어진 조각을 내어놓으면 하나님은 우리를 온전하게 빚어 주신다. 이사야 53장 5절은 우리의 깨어진 상태를 십자가의 시각에서 보게 해 준다.

> 그가 찔림은 우리의 허물 때문이요 그가 상함은 우리의 죄악 때문이라 그가 징계를 받으므로 우리는 평화를 누리고 그가 채찍에 맞으므로 우리는 나음을 받았도다.

이 구절에서 "찔림"이란 단어는 원래 타박상, 곧 혈관이 터지면서 생긴 시퍼런 피멍을 뜻한다. 그리고 "나음"이란 단어는 '수리, 보수, 온전해짐'이란 뜻의 어원에서 비롯했다. 따라서 이사야는 그분이 깨어지신 덕분에 우리가 온전해졌다고 말한 것이다.

우리가 자신의 목적을 이루고 하나님께 쓰임을 받기 위해서는 온전해져야 한다. 이렇게 먼저 우리 '안에서' 역사하시고 나서 우리를 '통해' 역사하시는 게 바로 예수님의 방식이다.

자, 깨어진 자들의 연주를 시작하자.

나의 끝,
진정한 기쁨을 위한 애통

chapter 2

울어 마땅한 일에는
울어야 한다

내가 가장 싫어하는 것 중 하나는 좋은 꿈을 꾸다가 깨는 것이다. 생각해 보라. 상상할 수 없을 만큼 좋은 꿈을 꾸는 중이다. 정말 행복하다. 그런데 절정 부분에서 갑자기 잠이 확 깬다. '잠깐! 안 돼! 지금 정말 중요한 순간이라고!' 최고로 좋은 순간에 잠이 깨면 정말 아쉽다. 때로는 꿈이 너무 좋아서 깨면 안 된다고 소리 지르는 내 목소리에 놀라 깨기도 한다.

이번 장을 쓰기 전에 얼마간 펜과 종이를 머리맡에 두고 잠을 잤다. 멋진 꿈을 꾸다가 깨면 잊어버리기 전에 재빨리 적기 위해서였다. 나름대로 기발한 아이디어라고 생각했지만 그렇게 해서 기껏 얻은 가장 좋은 꿈은 달콤한 음식을 마구 먹는 꿈뿐이었다.

생각할수록 서글펐다. 단 음식을 실컷 먹는 게 가장 좋은 꿈인 건 늙고 병들었다는 증거일 뿐이니. 어쨌든 한창 좋은 꿈을 꾸는 도중에 원치 않게 깨어나는 것이 우리네 인생 같다.

▲▲ 꿈이 산산조각 나는 순간

인생은 꿈을 깨는 사건으로 가득하다. 필시 당신도 그런 순간을 적잖이 경험했을 것이다. 탄탄대로를 달리던 중 갑자기 일이 터져 험한 산길로 접어드는 순간 말이다. 나의 끝은 대개 내 꿈이 와장창 깨지면서 찾아온다.

부모가 당신을 앞에 앉혀 놓고 '이혼'이라는 단어를 처음 가르쳐 주었는가? '천생배필'이라고 확신했던 사람에게서 그만 만나자는 문자 메시지가 날아왔는가? 사고가 났으니 최대한 빨리 병원으로 오라는 전화가 걸려 왔는가? 배우자의 휴대폰에서 바람을 피우는 증거를 보고 말았는가? 사장에게서 회사를 이제 그만 나오라는 통보를 받았는가?

한창 즐거운 꿈을 꾸던 중에 현실이 당신을 세차게 흔들어 깨웠다. 마치 괴한의 갑작스러운 난입과도 같은 순간이다. 깨어나는 건 곧 뭔가를 잃는 것이다. 돈, 건강, 직장, 순결, 혹은 특별한 누군가. 살다 보면 뭔가를 잃는 순간이 찾아온다. 자신의 끝에 이르게 된다. 이 현실을 빨리 깨닫는 자가 현명하다.

어니스트 헤밍웨이가 다른 작가들과 점심 식사 자리에서 했다는 내기는 훗날 유명한 일화가 되었다. 친구들은 헤밍웨이가 단 여섯 단어만으로 이야기를 만들어 낼 수 없다는 데 10달러를 걸었고, 헤밍웨이는 그 내기에 응해, 냅킨 한 장에 다음과 같은 단어를 써 내려 갔다.

For sale: baby shoes, never worn(팝니다. 한 번도 신지 않은 아기 신발을).

헤밍웨이는 불과 몇 단어라 해도 말에는 큰 힘이 있다는 점을 깊이 이해하고 있었다. 사실, 간결한 문체야말로 그의 트레이드 마크였다. 헤밍웨이의 여섯 단어 이야기는 짧지만 감동적이다.

당신도 여섯 단어로 당신의 이야기를 써 보지 않겠는가?

- 인생을 송두리째 바꾼 끔찍한 사고가 일어났다.
- 이제 나는 떠난다. 앞으로 우리는 남남이다.
- 당신의 자리가 더 이상 필요하지 않다.
- 그냥 친구 사이로 지내는 게 어때?
- 암이 치료에 반응할 생각을 하지 않는다.
- 안타깝지만 아이를 가질 수 없는 상태입니다.
- 최선을 다했지만 아드님은 세상을 떠나고 말았습니다.

꿈을 꾸던 삶이 애통하는 삶으로 변했다. 하지만 상황이 반대로 될 수 있다면? 악몽에서 진정한 꿈으로 깨어날 수 있다면? 우리의 애통이 복으로 이어질 수 있다면?

예수님이 또다시 세상의 관념을 뒤엎으신다. 인생이 끝난 것만 같은 깊은 상실과 실망의 한복판에서 예수님은 책장을 넘겨 소망과 구속의 새로운 이야기를 보여 주신다.

갈릴리 바다 인근의 산에서 예수님의 설교가 계속된다. 이번에도 예수님은 세상과 다른 천국의 시각을 제시하신다. 그분 말씀에 따르면, 하나님 나라에서는 비싼 가격표가 붙은 품목이 떨이로 팔리고 싸구려 제품이 매우 비싸게 팔린다. 억만장자는 가난뱅이고 집 없는 떠돌이가 왕이다.

마태복음 5-7장에 기록된 이 설교의 배경을 간단히 살펴보자. 마태는 예수님의 설교를 듣기 위해 많은 무리가 모였다는 사실을 알려준다. 여기서 "무리"에 해당하는 단어는 '불특정 다수의 사람들'을 뜻한다. 오랫동안 사람들 앞에서 설교하면서 불특정 다수에 관해 깨달은 바가 하나 있다. 그들 한 명 한 명이 가슴 아픈 이야기의 주인공이라는 것이다. 사람들을 모으는 건 곧 슬픈 이야기를 모으는 것이다. 심지어 개그맨들이 모인 집회도 마찬가지다. 방송에서 웃는다고 평소에도 늘 웃고만 다니는 건 아니다.

특히, 내가 목회하는 교회의 설교단에 서면 이 현실이 더욱 실감난다. 일부러는 아니지만 설교를 하다 보면 아는 사람에게 시선이 고정될 때가 있다. 꿈에서 억지로 깨어난 사람들……. 왼쪽으로 고개를 돌리니 암과 사투를 벌이고 있는 딸을 둔 부모가 보인다. 뒤쪽을 보니 예배가 끝나면 텅 빈 집에 돌아갈 생각에 어깨가 축 늘어진 과부가 눈에 들어온다. 오른쪽에는 벌써 세 번째 교도소에 다녀온 청년이 앉아 있다. 예배당 양쪽 끝으로 멀찌감치 떨어져 앉아 있는 부부들도 눈에 들어온다. 나는 그들 가정의 심각한 위기를 잘 알고 있다. 목회를 하다 보니 적잖은 이야기를 듣는다. 하지만 예수님은 우리의 모든 이야기를 훤히 아신다.

예수님이 산 위에 모인 무리를 찬찬히 훑어보실 때 수많은 슬픈 이야기를 파노라마처럼 보시지 않았을까? 그런데 예수님은 이 슬픈 자들에 관해서 뜻밖의 말씀을 하신다. 그분은 반전의 목록인 팔복으로 설교의 포문을 여신다. 당신이 그들에 관해 아는 것은 다 틀렸다.

앞서 우리는 첫 번째 축복인 "가난한 자는 복이 있나니"를 살펴봤다. 빈털터리가 복되다고? 이게 도대체 무슨 말인가? 어리둥절해하는 사람들에게 예수님은 연타를 날리신다.

는 복이 있나니.

이 앞에 무슨 말이 들어갈까? 세상의 이치와 당신 경험으로 볼 때 이 문장을 어떻게 완성하는 게 좋겠는가? 평생의 꿈을 이룬 자는 복이 있나니? 최고의 직장에 들어간 자는 복이 있나니? 엄청난 미인과 결혼한 자는 복이 있나니?

자, 예수님이 이 문장을 어떻게 완성하셨는지 보라.

애통하는 자는 복이 있나니 그들이 위로를 받을 것임이요(마 5:4).

애통하는 자? 예수님이 이 설교를 하시던 때는 높은 유아 사망률과 짧은 수명, 굶주림, 질병, 국가적 굴욕의 시대였다. 따라서 청중의 대다수가 애통하는 자였다. 하지만 "그렇고 말고요! 애통하는 게 최고로 복된 일이죠!"라고 말한 사람은 단 한 명도 없었으리라.

역설의 땅을 다 지나간 줄 알았더니 여전히 그곳에 있다. 아니, 이제는 아예 모순의 땅으로 들어왔다. 여기서 예수님은 '슬픈 자가 행복하다'라고 말씀하신다. 이게 도대체 무슨 뜻인가?

▲▲ 비극적인 현실에 애통하라

이 수수께끼를 해결하려면 일단 예수님이 무슨 생각으로 '애통'이란 표현을 사용하셨는지 알아내야 한다. 성경은 몇 가지 사례를 제시한다.

첫째, 우리는 삶의 현실로 인해 애통한다. 최악의 순간에 우리의 달콤한 꿈에 찬물을 끼얹는 사건이 일어난다. 원치 않는 일이 제멋대로 우리 삶의 문을 박차고 들어온다. 통제 불능의 상황이 우리 삶을 송두리째 바꿔 놓는다. 이런 일을 막기 위한 손쉬운 다섯 가지 방법을 알려 주면 좋으련만 삶은 그렇게 녹록하지가 않다. 지루한 일상이 얼마나 고마운지를 뼈저리게 깨닫게 해 주는 사건이 일어난다. 그런 일이 일어났는가? 그렇다면 당신은 복 받은 자다. 예수님이 그렇게 말씀하셨다.

혹시 이 말씀을 그저 아름다운 시쯤으로 여겼는가? 예쁜 글씨로 수를 놓아서 요양원의 외로운 할머니에게 선물하면 제격이라고 생각했는가? 아니면 '한 손의 박수 소리'와 같은 일종의 선문답으로 받아들였는가? 뭔가 심오해 보이지만 실상은 말이 되지 않는 표현처럼 말이다. 하지만 애통하는 자에 실례를 대입하면 시적인 느낌은 완전히 사라진다. 몇 가지 예를 대입해 보자.

- 이른 새벽부터 늦은 밤까지 쉴 틈 없이 일하지만 가난을 면치 못하고 어린 네 자녀까지 키우는 젊은 과부는 복이 있나니.
- 직장에서 쫓겨나 길바닥에 나앉을 날을 손으로 헤아리는 가장은 복이 있나니.
- 모든 것을 잃어버렸는데도 다시 살아 보려고 안간힘을 쓰는 알코올 중독자는 복이 있나니.
- 남편을 낯선 여자에게 빼앗긴 아내는 복이 있나니.
- 치매에 걸린 부모가 점점 스러지는 모습을 하릴없이 지켜보는 자녀는 복이 있나니.

자, 이제 당신의 상황을 대입해 보라.

_____는(은) 복이 있나니.

이게 도대체 무슨 뜻일까? '인격 형성'에 유익한 작은 시련 정도라면 상관없다. 이를테면 알람을 오전이 아닌 오후로 맞춰 놓았다가 회사에 지각하거나 휴대폰을 아무 생각 없이 자동차 컵홀더의 컵 안에 넣었다가 그 안에 음료수가 가득 찬 걸 발견하는 것 같은 상황이라면 말이다. 이 정도면 당장 짜증 나기는 하지만 나중에는 추억하며 웃을 수 있다.

하지만 어린 자녀가 교통사고를 당해 중환자실에 누워 있다면 웃음기는 싹 가신다. 문제는, 아무리 봐도 예수님이 이렇게 심각한 상황을 이야기하신 것 같다는 것이다. 여기서 예수님은 사소한 짜증거리가 아니라 내 삶이 끝나는 것 같은 절체절명의 위기를 말씀하신 것이다. 예수님은 "애통"이란 단어를 사용하셨으며, 이것은 처절한 고통을 경험할 때 우리 마음속에서 일어나는 것이다.

주석가 윌리엄 바클레이는 이 단어에 실린 무게감을 정확히 짚어 냈다. "'애통하다'에 해당하는 헬라어 단어는 이와 비슷한 뜻을 가진 헬라어 중에서 가장 강렬한 단어다. …… 이것은 감출 수 없을 만큼 강한 슬픔을 의미한다. 또 마음을 아리게 할 뿐 아니라 주체할 수 없는 눈물이 흐르게 만드는 슬픔을 가리킨다."[1]

이런 슬픔에 무슨 복이 있단 말인가. 상식적으로 '만사가 뜻대로 풀리는 자는 복이 있나니'나 '꿈꾸는 대로 다 이룬 자는 복이 있나니' 정도는 돼야 하지 않나? 정상적인 사람이라면 애통으로 가득한 삶이 아니라 애통할 일이 전혀 없는 삶을 복된 삶으로 여길 것이다.

하지만 예수님이 하신 말씀을 우리 마음대로 바꿀 수도 없는 노릇이다. 그분은 우리가 애통할 때, 우리 삶이 극도로 힘들어졌을 때, 평생에 가장 힘든 일을 당했을 때, 우리 자신의 끝에 이르렀을 때, 그때야말로 복 받은 것이라고 말씀하신다.

이건 아무래도 비상식적인 말씀처럼 보인다. 그런데 혹시 우리가 비상식적인 것을 너무 오랫동안 봐오다 보니 그것을 상식적으로 보게 되고, 상식적인 것을 비상식적으로 보게 된 건 아닐까? 만에 하나라도, 온 세상이 미쳤고 예수님만 홀로 맑은 정신이신 건 아닐까?

예수님의 메시지는 복이 외부에서 일어나는 일에 달려 있지 않다는 것이다. 복은 우리 안에서 나온다. 그 복은 눈물을 꽤 쏟아 내야 비로소 발견할 수 있다. 방금 만약의 상황인 것처럼 물었지만 실은 예수님이 옳은 게 확실하다. 나도 경험해 봤다. 이 복은 내 꿈이 무너질 때만, 내가 할 수 있는 모든 게 끝났을 때만 발견할 수 있다.

▲▲ 처절한 고통 속에서 찾는 하나님의 실재

무슨 말이냐면, 고난은 우리 영 안에 하나님의 평안과 임재의 복을 알고 경험할 수 있는 공간을 만들어 낸다. 애통하는 가운데 우리는 하나님 임재의 복을 누릴 수 있다.

구약의 욥기를 보면 사탄은 욥을 고난의 구덩이에 처넣지 못해 안달이 나 있었다. 욥은 모든 사람이 복 받았다고 입을 모을 만큼 풍족하고 평안한 삶을 살았다. 하지만 저 멀리서 시꺼먼 먹구름이 다가오고 있었다. 사탄은 이 먹구름으로 한 번만 쓸고 지나가면 욥을 항복시킬 수 있으리라 확신했다. 사탄은 완벽한 삶이 무너지기만 하면 욥이 하나님께 등을 돌리고 자신의 종교를 아무 쓸데없는 거라고 선포하리라 확신했다.

욥기의 첫 번째 장은 욥에게 일곱 아들과 세 딸, 7천 마리의 양, 3천 마리의 낙타, 500쌍의 소, 500마리의 나귀가 있었다고 말한다. 뿐만 아니라 종의 숫자는 헤아릴 수 없을 정도였다. 자, 이것이 출발점이었다. 그러던 어느 날 욥은 고난 속에서 믿음이 어떻게 변하는지 확인하기 위한 사례 연구 대상이 되었다. 그리하여 욥은 모든 것을 하나씩 잃어 갔다. 먼저, 강풍이 불어 욥의 집을 무너뜨리고 자녀들의 목숨을 앗아갔다. 하지만 욥기는 이제 막 시작되었을 뿐이다. 두 번째 장에서 욥은 건강을 잃었다. 온몸이 종기로 뒤덮여 미칠 지경이었다. 이어서 가축과 재산이 모두 날아갔다. 사탄은 이제 욥이 믿음을 헌신짝처럼 내던질 거라고 확신했다. 참다못한 아내는 "하나님을 욕하고 죽으라"(욥 2:9)라고 소리 질렀다. 삶을 이 지경으로 망가뜨린 분이 무슨 선한 하나님이란 말인가!

그런데 뜻밖에도 욥은 오히려 하나님을 전에 없이 깊이 경험했다. "내가 주께 대하여 귀로 듣기만 하였사오나 이제는 눈으로 주를 뵈옵나이다"(욥 42:5). 사탄은 어리둥절할 수밖에 없었다.

바로 이것이 우리가 고난의 한복판에서 발견할 수 있는 복이다. 고난이 닥치면 우리 삶 속에 커다란 구멍이 생긴다. 그 구멍을 채우던 것은 물질이었을 수도 있고 관계였을 수도 있다. 대체물이 사라지고 남은 자리가 아려올 때 하나님이 그 빈자리를 넘치도록 채워 주신다.

고통스러울 때 우리는 애통한다. 애통할 때 우리는 "모든 위로의 하나님"(고후 1:3)께 위로를 받는다. 그래서 애통하는 자는 복이 있다.

살다 보면 누구나 상실을 경험하며, 아무도 잃어버리는 것을 좋아하지 않는다. 하지만 상실이 무조건 안 좋은 것만은 아니다. 이번에도 여섯 단어 이야기를 하나 써 보자. 눈물이 가득 고인 눈으로 이 이야기를 읽는다면 훨씬 더 이해가 잘 될 것이다.

하나님은 당신의 고통을 하나도 허비하지 않으신다.

하나만 더 보자.

하나님은 절대 당신을 혼자 두지 않으신다.

유진 피터슨의 《메시지》(*The Message*, 복있는사람 역간)는 마태복음 5장 4절을 이렇게 번역한다. "가장 소중한 것을 잃었다고 느끼는 너희는 복이 있다. 그때에야 너희는 가장 소중한 분의 품에 안길 수 있다."
자신의 끝에 이르면 하나님을 깊이 경험할 수 있다. 정말 좋은 것을 잃어버렸는가? 그러나 하나님의 포옹만큼 좋은 건 세상 어디에도 없다.

▲▲ 고통을 없애는 데만 집중하다

우리는 어떻게든 고통을 피하려고 한다. 하지만 고통은 필연적이다. 그래서 결국 고통이 찾아오면 우리는 어떻게든 애통하는 걸 피하려고 한다. 그러다가 어쩔 수 없이 애통하게 되면 최대한 빨리 벗어나려고 안간힘을 쓴다. 이를테면 온갖 즐길거리로 고통을 느끼는 감각을 마비시킨다. 술이나 쇼핑, 일, 친구와의 수다로 고통을 달랜다. 그렇게 찡그린 얼굴을 억지로 펴 보려고 한다.

하지만 얼굴 찡그릴 일이 끊이지 않는다. 고통의 중력이 계속해서 우리를 밑바닥으로 끌어내린다. 잊을 만하면 또다시 고통이 찾아온다. 그래도 우리는 끝까지 애통하지 않는다. 어떻게든 고통을 극복하려고 한다. 깨진 관계로 상한 마음이나 어리석은 선택으로 인한 뼈아픈 후회, 중병의 고통을 현실 부정이나 남 탓, 죄책감으로 '극복'하려고 한다.

ABC 방송국의 대표 프로그램인 〈굿모닝 아메리카〉에서 최근 제프 골드블래트란 남자의 이야기를 소개했다. 그는 '극복의 날'(Get Over It Day)을 만든 사람이다. 혹시 그날이 며칠인지 궁금한가? 바로 3월 9일이다. '극복의 날' 웹사이트를 방문하면 슬픔을 떨쳐내기 위한 온갖 유용한 팁을 발견할 수 있다. 이 방법대로 하면 3월 10일엔 모든 고통을 뚫고 지나갈 수 있을지도 모른다. 고통의 터널은 빨리 통과할수록 이익이다.

하지만 정말 그럴까? 물론 이해한다. 고통을 피하려는 게 인간의 본성이다. 조금이라도 더 오래 슬퍼하고 싶은 사람은 세상 어디에도 없다. 예수님도 우리가 고통을 즐기기를 원하지 않으신다. 단지 우리가 그늘 아래 감춰진 놀라운 복을 발견하기 원하실 뿐이다. 이 복은 오직 눈물에 젖은 렌즈로만 볼 수 있다.

딕과 엘리자베스 피터슨은 사이 좋기로 소문난 잉꼬부부였다. 그런데 어느 날 엘리자베스가 다발성 경화증 진단을 받고 말았다. 딕은 힘든 싸움이 되리라고만 생각했지, 그 일로 예수님을 전에 없이 깊이 알게 될 줄은 꿈에도 예상치 못했다.

'소리 없는 침입자'는 아내의 몸만이 아니라 남편의 삶까지 침범했다. 아내는 지팡이에서 보행기를 거쳐 결국 휠체어에 앉고 말았다. 그렇게 아내의 몸이 불편해질 때마다 남편의 삶도 함께 불편해졌다. 질병으로 인해 부부의 삶은 급속도로 깊은 수렁에 빠졌다.

부부는 남은 믿음을 전부 짜내어 치유를 위해 기도했다. 가족과 친척, 교회 식구들도 부부를 위해 기도해 주었다. 부부는 기적에 관한 여러 간증을 떠올리며 혹시 하나님이 자신들을 위해서도 기적을 베풀어 주실지 모른다는 희망을 품었다. 선량한 두 사람이 기적의 주인공이 되지 말라는 법은 없지 않은가?

점점 이런 희망을 거두지 않고 있는 것이 그들에게 고통이 되었다. 그런데 의문의 구름 속에서 한 가지 가능성이 떠올랐다. 그것은 부부가 한 번도 생각해 보지 않았던 가능성이었다. '혹시 이 일이 우리를 **위해** 일어난 건 아닐까?' 이 얼마나 놀라운 생각인가.

하루는 아내가 남편에게 물었다. "혹시 하나님이 내 몸보다 영혼이 중요하다는 사실을 가르쳐 주시려고 이 일을 허락하신 걸까요?" 어느 날 남편도 하나님께 물었다. '이것이 긍휼을 배우기 위한 수업료인가요?' 부부는 하나님의 방식에 관한 놀라운 깨달음을 얻었다. 부부는 아내가 예전처럼 살 수 있게 해달라고 기도했지만, 하나님은 아내가 '새' 삶을 누리는 데 더 관심 있으시다는 사실을 점점 깨달았다. 하나님은 부부가 더 깊은 삶, 더 지혜로운 삶으로 나아가길 원하셨다.

부부는 외적인 변화를 위해 기도했지만, 하나님은 내적인 변화에 더 관심을 가지셨다. 부부는 자신들이 원하는 것을 달라고 기도했지만, 하나님은 그들에게 진정으로 필요한 것을 공급해 주셨다.

침입자는 여전히 부부에게서 떠나지 않고 있다. 질병은 여전히 부부에게 매일같이 새로운 도전을 던진다. 그와 동시에 이 고난은 부부에게 순종과 믿음, 섬김, 바울이 고린도전서 13장에서 묘사한 사랑에 관해서 귀중한 교훈을 가르쳐 주고 있다. 고난이 아니었다면 이 교훈을 이토록 깊이 깨닫지는 못했을 것이다. 하나님은 인생이 던지는 돌직구까지도 우리를 그분께 가까이 이끄는 도구로 사용하실 수 있다.

눈물로 눈을 깨끗하게 씻고 나면 이상하게도 침입자가 반가운 손님처럼 보이기 시작한다. 고난의 한복판에서 우리는 소중하게 여겼던 것들이 빠져나간 빈자리만을 본다. 하지만 그 순간, 하나님은 그 빈자리를 가득 채워 주신다. 눈을 열면 그 공간만이 아니라 심지어 전에는 있는지도 몰랐던 공간까지도 가득 채우고 계신 하나님이 보이기 시작한다.

누구나 상실을 경험한다. 누구나 애통한다. 하지만 예수님을 따르는 자들은 고통이 헛된 게 아님을 깨닫는다. 완전히 비상식적으로 보이는 복이 존재한다. 이 복을 찾으려면 손전등 하나 없이 칠흑 같이 어두운 구덩이 밑바닥까지 들어가야만 한다. 그곳에 복이 있고, 그 복은 우리의 전부를 걸 만한 가치가 있다.

▲▲ 죄에 대해 애통하라

지금까지는 비극적인 상황을 놓고 애통하는 것에 관해 살펴봤다. 이게 '애통'을 생각했을 때 제일 먼저 떠오르는 것이다. 하지만 성경은 또 다른 형태의 애통에 관해 이야기한다.

우리 자신과 세상 속의 죄에 대한 애통도 있다. 첫 번째 종류의 애통은 외적인 파괴에서 비롯하지만 이 애통은 내적인 파괴에서 비롯한다. 즉 이 애통은 우리 자신과 우리가 사랑하는 사람들, 우리 주변의 세상을 파괴시키는 죄에 대한 반응이다. 성경을 보면 죄에 대한 애통은 언제나 하나님의 복으로 이어진다. 이 원리는 개인만이 아니라 국가에도 그대로 적용된다. 예컨대 이스라엘이 다 함께 애통했을 때는 반드시 국가 전체에 하나님의 복이 임했다.

구약에 이런 애통에 관한 흥미로운 사례 하나가 등장한다. 알다시피 다윗은 밧세바와 불륜을 저질렀다. 이 죄로 인해 다윗은 영혼이 짓눌리는 깊은 심적 고통에 시달렸다. 그의 영혼 깊은 곳에서 처절한 신음 소리가 흘러나왔다.

시편 32편은 다윗이 이렇게 애통하기 전의 상황을 기록한다. 겉으로는 행복해 보였다. 현실 부정은 언제나 웃는 가면을 쓰고 있으니까. 하지만 영혼 깊은 곳의 상황은 180도 달랐다. 다윗은 하나님의 참된 복을 놓치고 있었다.

> 허물의 사함을 받고 자신의 죄가 가려진 자는 복이 있도다 마음에 간사함이 없고 여호와께 정죄를 당하지 아니하는 자는 복이 있도다(시 32:1-2).

여기서 "복"이라는 단어가 두 번 등장한다. 하지만 그에 질세라 "죄"라는 단어도 두 번 나온다. 죄는 아주 흥미로운 단어다. 100년 전만 해도 사전에는 죄의 동의어가 가득했다. 헬라어 신약 성경에서도 죄에 대해 무려 33가지 단어를 번갈아 사용했다. 예전에는 죄의 개념을 정확히 알았던 게 분명하다.

버려진 단어의 무덤을 파 보면 그 사회에 관해 많은 것을 알 수 있다. 요즘에는 사람들이 친한 동료에게 자기 죄를 고백하거나 기도 모임에서 죄를 털어놓는 모습을 좀처럼 볼 수 없다.

몇 년 전, *Oxford Junior Dictionary*(옥스퍼드 주니어 사전)가 죄의 동의어들을 없앤 지 한참 만에 죄란 단어 자체를 아예 없애려고 했다는 기사를 읽은 적이 있다. 사람들에게 죄는 흔들의자에 앉아 고리타분한 옛날 얘기나 하는 노쇠한 단어일 뿐이다. 이제는 아무도 이 단어에 관심을 가지지 않는다. 사촌 단어들은 이미 다 세상을 떠났고, 자녀뻘 단어들도 잘 찾지 않는다. 자녀뻘 단어들은 '실수'와 '안타까운 선택' 같은 단어들이다.

솔직히 나도 목사로서 이런 긴장을 느낀다. 많은 목사가 죄라는 독한 단어 대신 되도록이면 '실수' 같은 순한 단어를 사용하려고 한다. 죄는 너무 부담스럽다. 왠지 비난하는 느낌이 든다. 그래서 우리는 굳이 써야 한다면 '안타까운 선택'이나 '잘못' 같은 표현을 사용한다.

하지만 이런 표현이 어울리지 않을 때가 많다. 내가 나도 모르게 당신의 발을 밟으면 그건 실수다. "아이고! 죄송합니다. 일부러 그런 건 아닙니다." 반면, 내가 당신을 싫어해서 일부러 발을 있는 힘껏 밟았다면 그건 실수가 아니다. 그건 죄의 영역에 속한다.

오늘날 죄의 또 다른 대타는 '병'이다. 이 단어는 우리 잘못이 전혀 없다는 개념을 내포한다. "물론 은행을 털지 말았어야 하지. 그치만 너도 잘 알잖아. 이건 내 병이야. 원래 이렇게 태어났어. 나는 총을 들고 은행에 들어가 돈주머니를 들고 나오는 '중독'에 걸렸어."

죄가 중독적일 수 있을까? 물론이다. 죄만큼 중독적인 것도 없다. 죄는 우리를 노예로 삼을 기회만 호시탐탐 노린다. 하지만 우리가 자기 행동을 통제할 수 없는 죄인이라는 생각은 착각이다. 혹은 남 탓을 하기 위한 자기변명일 뿐이다.

우리 사전에서 '죄'를 없앨 수는 있다. 하지만 우리 마음속에서 그 단어를 지워 버릴 수는 없다. 죄에 관한 정의를 없앤다 해도 죄의 상태 자체는 사라지지 않는다. 죄라는 단어가 없어져도 죄는 여전히 세상 모든 사람을 괴롭힐 것이다. 죄란 현실을 인정하지 않으면 애통은 있을 수가 없다. 애통이 없으면 고백이 없다. 그리고 고백이 없으면 하나님의 용서와 은혜라는 풍성한 복을 놓친다. 그러니 죄를

'실수'나 '중독', '병'으로 부르지 말고 '죄'라고 확실히 부르라.

1,600년 전쯤, 어거스틴이 쓴 《고백록》(*Confessions*)에 이런 글이 있다. "내 죄가 구제불능이었던 것은 나를 죄인으로 보지 않았기 때문이다."[2] 이것이 설교자들에게 '죄'란 단어가 필요한 이유다. 한 글자에 방대한 이야기를 담은 이 단어가 꼭 필요하다. 죄가 얼마나 심각한지 통감하지 않고서는 하나님의 사랑과 은혜가 얼마나 깊은지를 이해할 수 없다.

예수님은 많이 용서받은 자가 많이 사랑한다고 말씀하셨다(눅 7:47 참조). 고통스럽더라도 내 죄의 심각성을 직시하면 용서의 기쁨을 온전히 누릴 수 있다. 하나님의 긍휼이 얼마나 큰지 잘 아는 건 내가 그 긍휼을 받을 자격이 얼마나 없는지를 절실히 아는 것이기 때문이다. 깊이 애통할수록 용서가 더 감사히 느껴지기에 더 성대한 잔치를 열 수밖에 없다.

시편 32편에서 다윗은 계속해서 이렇게 말한다.

> 내가 입을 열지 아니할 때에 종일 신음하므로 내 뼈가 쇠하였도다
> 주의 손이 주야로 나를 누르시오니 내 진액이 빠져서 여름
> 가뭄에 마름 같이 되었나이다 내가 이르기를 내 허물을 여호와께
> 자복하리라 하고 주께 내 죄를 아뢰고 내 죄악을 숨기지
> 아니하였더니 곧 주께서 내 죄악을 사하셨나이다(3-5절).

당장은 죄를 부인하는 게 상책으로 보인다. 당장은 그게 가장 편

하다. 하지만 그 길의 목적지는 괴로움의 땅이다. 반대로 죄를 직면하는 울퉁불퉁한 길이 최상의 목적지로 가는 유일한 길이다.

죄를 직시했을 때 찾아오는 복을 경험해 봤는가? 그 후련함이란 이루 말할 수가 없다. 도망치고, 회피하고, 남에게 잘못을 돌리며 피곤하게 살아왔는가? 자기 죄가 그렇게까지 손가락질 받을 만한 일은 아니라며 자위해 왔는가? 자신이 상처 준 사람에게 찾아가 용서를 빌지 않고 어떻게든 그에게 유익한 것이었다며 스스로 속여 왔는가?

그렇게 도망치면 다윗처럼 기력이 쇠한다. 아무리 열심히 운동을 해도 기력이 돌아오지 않는다. 내면 깊은 곳에서 생명력이 빠져나가니 외적으로 아무리 영양분을 보충해도 소용이 없다. 결국은 도망칠 곳이 없어져 멈추게 된다. 마침내 눈물이 쏟아지고, 그때 비로소 빠져나갔던 힘이 돌아오기 시작한다. 그런데 그 힘은 우리 힘이 아니다. 그것은 우리를 감싼 하나님의 팔에서 흘러들어오는 힘이다. 이렇게 우리는 자신의 끝에서 가장 놀라운 복을 발견할 수 있다.

▲▲ 죄를 웃음의 소재로 삼는 세대

이 역설적인 가르침을 연구하다가 문득 '애통의 반대말은 무엇일까?'라는 생각이 들었다. 당연히 애통의 반대말은 웃음이다. 그런데 요즘 세상이 '죄'라는 개념에 대해 어떤 반응을 보이는가? 죄를 소재로 웃음을 유발하는 코미디언들, 죄를 가볍게 다루는 드라마들. 요즘 사람들은 죄를 보고 웃는다. 이런 생각을 하니 정말 안타까웠다. 아울러 나도 반성했다. 우리는 애통해야 마땅한 일을 보고 오히려 웃을 때가 얼마나 많은가.

앞서 말했듯이 우리는 우리 자신과 세상의 죄에 대해 애통해야 마땅하지만, 과연 그렇게 애통하는 사람이 있는가? 자신의 이기심과 교만을 깨닫고 눈물을 흘리는 남자는 어디에 있는가? 험담을 일삼고 허영심에 빠져 살던 자신의 지난날을 돌아보며 눈물을 흘리는 자는 어디에 있는가? 가족들에게 소홀했던 과거를 돌아보며 눈물을 흘리는 남편은 어디에 있는가? 남편에게 순종하지 않고 바가지만 긁었던 것을 뉘우치며 눈물을 흘리는 아내는 어디에 있는가? 자신의 부정행위와 음란, 뿌리 깊은 냉소주의에 대해 참회하는 청년은 어디에 있는가? 또 죄로 물든 세상에 관한 기사를 읽고, 또 자신의 악한 모습을 보고 눈물을 흘리는 그리스도인은 어디에 있는가?

죄에 직면해서 진심으로 회개할 때만 발견할 수 있는 기쁨과 평안이 있다. 슬픔의 눈물이 흐르는 곳이야말로 하나님의 복을 발견할 수 있는 곳이다. 이상하게 들릴지 모르지만 하나님 앞에서 내 죄에 대해 애통할 수 있다는 사실이 글을 쓰면서 점점 더 감사하게 느껴졌다. 물론 고백하는 순간은 정말 고통스럽다. 하지만 일단 고백하고 나면 태양이 작열하는 여름날에 시원한 물을 몸에 끼얹은 것처럼 후련하다.

자, 정리해 보자. 우리는 모두 죄를 짓는다. 그리고 어떻게든 애통하지 않으려고 한다. 하지만 죄에 대해 애통하지 않으면 하나님의 복이 임하는 때가 그만큼 지연된다. 먼저 애통하지 않고 하나님의 복을 받을 길은 없다. 탁월한 시인 다윗은 이렇게 노래했다. "너희는 무지한 말이나 노새 같이 되지 말지어다 그것들은 재갈과 굴레로 단속하지 아니하면 너희에게 가까이 가지 아니하리로다"(시 32:9). 간단히 말해, 바보가 되지 마라. 가야 할 곳, 당신 마음이 진정으로 가기를 원하는 곳, 그곳으로 자발적으로 가라.

나는 시편 32편에서 11절을 특히 사랑한다. 죄, 고백, 하나님의 용서와 의에 관해 논하던 다윗은 환희의 노래로 구두점을 찍는다. "너희 의인들아 여호와를 기뻐하며 즐거워할지어다 마음이 정직한 너희들아 다 즐거이 외칠지어다."

영혼의 어두운 밤, 애통의 무거운 밤을 지나 아름다운 새날의 동이 텄다. 이제 잔치를 열 때다. 지친 여정을 뒤로 한 채 탕자가 집으로 돌아왔다. 나의 끝에는 기쁨의 노래가 있다!

▲▲ 온전한 기쁨으로 가는 유일한 길

애통은 해도 되고 하지 않아도 무방한 게 아니다. 애통은 꼭 해야 하는 것이다. 그리고 매우 좋고 유익한 것이다. 그야말로 복의 열쇠다. 진정 가슴을 치며 죄를 회개해 봤는가? 세상의 죄에 대해 고뇌하고 기도하고 슬퍼하는가? 그렇게 하면 무엇보다도 당신 자신이 변한다. 자신과 세상을 바라보는 시각이 철저히 변한다. 애통의 본질은 그리스도의 시각으로 상황을 바라보는 것이며, 그렇게 할수록 조금씩 그리스도를 닮아 간다.

야고보의 조언을 들어 보라.

> 하나님을 가까이하라 그리하면 너희를 가까이하시리라 죄인들아 손을 깨끗이 하라 두 마음을 품은 자들아 마음을 성결하게 하라 슬퍼하며 애통하며 울지어다 너희 웃음을 애통으로, 너희 즐거움을 근심으로 바꿀지어다 주 앞에서 낮추라 그리하면 주께서 너희를 높이시리라(약 4:8-10).

회개와 애통은 쉽지 않다. 그래서 복으로 이어지는 이 회개의 길로 들어서는 데 도움이 되는 몇 가지 질문을 당신에게 소개한다.

- 지난 며칠 동안 어떤 죄를 지었는가?
- 내 죄로 누가 상처를 받았는가?
- 하나님께 고백하는 것 외에 사과해야 할 사람이 있는가?
- 내 죄가 일으킨 혼란을 어떻게 깔끔히 정리할 수 있을까?
- 내 죄를 누구에게 고백해야 할까?
- 이런 질문을 생각할 때 어떤 변명이 떠올랐는가?

구약에 보면 정말 아름다운 전통을 많이 발견할 수 있다. 또 전통 중에서 몇 가지는 자세히 연구할 가치가 있다. 그중에 '회개의 애통'(penitential mourning) 기간이라고 부르는 전통이 있다. 주로 7일에서 30일 동안 이어지는 이 기간에는 온 공동체가 함께 죄에 대해 슬퍼했다. 때로 사람들은 내적 애통의 외적 표현으로 삼베옷을 찢었다. 그렇게 그들은 자신의 끝에 이르렀음을 가시적으로 표현했다.

자, 나와 함께 앞으로 7일 동안 회개의 애통에 동참하지 않겠는가? 일주일간 행복한 얼굴을 자제하고 눈물을 흘려 보라. 삼베옷까지 마련할 필요는 없겠지만 아무 천 조각이나 잘라서 이 기간 동안 손목에 매고 다니면 어떨까? 그렇게 하면 그 한 주가 무엇에 집중해야 하는 기간인지를 늘 기억할 수 있을 것이다.

애통은 오직 나와 하나님 사이에서 느끼는 참된 슬픔이며, 대개 눈물로 표출된다. 1,600년 전의 청교도 토머스 왓슨은 이런 표현을 썼다. "눈물은 하나님의 마음을 녹이고 그분의 손을 묶는다."

나도 안다. 이것은 요즘 흔히 들을 수 있는 귀에 즐거운 설교와는 거리가 멀다. 그러나 이것이 진실이다. 애통만이 하나님이 주시는 온전한 기쁨으로 가는 유일한 길이다. 물론 음침한 골짜기를 지나겠지만 장담컨대 그 길을 당신 혼자 걷게 되지는 않을 것이다. 그리고 그 끝에는 놀라운 복이 기다리고 있다.

나의 끝,
예수만 붙들게 하는 낮춤

chapter 3

모든 상황이
교만을 십자가에 못 박을
기회다

만약을 대비해서 눈사태를 당할 경우 중요한 생존 전략 하나를 소개해 주겠다. 첫째, 침을 뱉으라. 둘째, 파라. 눈사태에 갇힌 사람들이 저지르는 가장 큰 실수 중 하나는 수 톤의 눈에 뒤덮이자마자 맹목적으로 눈을 파는 것이다. '파는 것' 자체는 잘하는 일이다. 문제는 '맹목적'이라는 데 있다. 엉뚱한 방향으로 파서 눈 속에 더 깊이 파묻히기가 너무도 쉽다.

〈파퓰러 사이언스〉 지에서 이런 희생자에 관한 기사를 실은 적이 있다. 구조팀이 시체를 발견하고 보니 희생자는 무작정 눈을 파다가 오히려 10미터나 '더 깊이' 파고들어 간 상태였다. 그는 남은 힘을 오히려 목표에서 더 멀어지는 데 전부 소진하고 말았다. 먼저 침부터 뱉었으면 좋았으련만!

눈에 뒤덮이면 어디가 어느 방향인지 파악하는 게 거의 불가능하다. 하지만 중력은 여전하다. 따라서 얼굴에 묻은 눈을 털어내고 침을 뱉으라. 뱉은 침이 곧장 아래로 떨어지면 마주보는 방향이 아래쪽이니 몸을 돌려서 파기 시작해야 한다. 침이 왼쪽이나 오른쪽으로 떨어지면 옆으로 누워 있는 것이다. 아마도 이때가 자기 얼굴에 침을 뱉고 싶은 유일한 때일 것이다. 뱉은 침이 얼굴에 떨어지면 몸을 돌릴 필요도 없이 그대로 파고 나가면 되니까 말이다. 침을 뱉으면 어디가 위고 어디가 아래인지 판단할 수 있다.

예수님이 랍비로서 전면에 등장하셨을 때 세상은 방향감각을 상실해 있었다. 위가 아래처럼 보였다. 사람들은 빛을 찾는답시고 오히려 더 깊이 파내려갔다. 당시는 오늘날만큼이나 혼란스러운 시대였다. 그러다가 '때가 차매' 예수님이 나침반을 영구적으로 설치하기 위해 이 땅에 오신 것이었다.

예수님이 질서를 바로잡으셨다고는 하는데 왠지 그분이 지도를 거꾸로 들고 있는 것처럼 보이는 이유는 뭘까? 세 번째 축복을 보라. 이번에도 예수님은 내려가는 길이 올라가는 길이고 올라가는 길이 내려가는 길이라고 말씀하신다.

> 온유한[겸손한] 자는 복이 있나니 그들이 땅을 기업으로 받을
> 것임이요(마 5:5).

이번에도 우리는 21세기의 귀로 들어서 이 말씀이 모순처럼 들린다. 겸손한 자가 땅을 기업으로 받는다고? 정말로? 아무리 봐도 땅을 많이 소유한 사람들은 대기업 회장이나 연예계 스타, 정계의 거물들이다. 이들은 겸손이란 단어와 어울리지 않는다. 하지만 예수님

은 누가복음에서도 똑같은 가르침을 주셨다.

> 무릇 자기를 높이는 자는 낮아지고 자기를 낮추는 자는
> 높아지리라(눅 18:14).

모순적이면서도 기분 좋게 들리는 말씀이다. 무시를 당하는 자들, 목소리를 내지 못하는 자들, 주목을 받지 못하는 자들이 높임을 받고 권리의식에 사로잡힌 자들이 망한다니 이 얼마나 통쾌한가.

▲▲ 예수의 방향 vs 세상의 방향

예수님은 올라가려면 내려가야 한다고 말씀하신다. 위대해지려면 겸손해져야 한다. 누가복음 18장에서 예수님은 한 가지 비유로 두 개의 방향을 비교해 주신다. 하나는 그분의 방향이고 다른 하나는 세상의 방향이다. 이것은 두 사람의 이야기인데 그중 한 사람은 바리새인이다. 바리새인들은 원래 점점 심해져 가는 종교적 타협에 맞서서 분연히 일어난 집단이었다. 그들은 당시의 문화적 격변 속에서 약화되어 가는 유대교를 율법 준수 운동으로 회복시키고자 했다.

바리새인들은 히브리 율법을 철저히 지켰으며 곧은 인품과 학식, 영향력을 지녔기 때문에 사람들에게 존경을 받았다. 그들은 당시 유대 사회의 최상류층이었다.

이 이야기의 두 번째 인물은 경제적으로는 부요했지만 동족들에게 인간 취급을 받지 못하는 부류에 속해 있었다. 그는 세금 징수원인 세리였다. 1장에서의 창녀가 기억나는가? 세리는 심지어 창녀들에게도 경멸을 받는 인간쓰레기였다. 이때의 세리를 1세기의 국세청 직원쯤으로 생각하면 오산이다. 당시 세리는 매국노였다. 로마를 위해 세금을 걷는 것도 모자라 자기의 탐욕을 채우려고 동족을 이중으로 착취한 자들. 세리는 합법의 탈을 쓴 강도였다.

이 두 사람이 성전 안으로 들어온다. 한 사람은 우리가 아들에게 "저분 보이니? 너도 커서 저분처럼 돼야 한다"라고 말할 만한 사람이었고, 다른 사람은 우리가 아들에게 "에이그, 저 나쁜 놈! 나가서 던질 돌 좀 주워 와라"라고 말할 만한 사람이었다.

예수님의 이 비유는 누구를 겨냥한 것이었을까? 누가복음에 답이 나와 있다. 바로 "자기를 의롭다고 믿고 다른 사람을 멸시하는 자들"(눅 18:9)이었다. 거드름을 피우며 잘난 체하는 자들. 이 가르침은 콧대 높은 자들에게 먹이는 원투펀치였다. 이 말씀을 하셨을 때 주변이 싸늘해졌을 것이다. 예수님이 누구를 지적하고 있는지 모두가 잘 알았기 때문이다.

이런 말을 들으면 남 얘기라고 생각하기 쉽다. 소그룹에서 이 글을 읽고 있다면 절대 다른 사람과 눈을 마주치지 마라. 우리는 당연히 이것이 우리가 아닌 남들에게 해당하는 비유라고 생각한다. 하지만 그렇게 생각하는 순간 우리는 예수님이 말씀하신 바로 그 사람들이 된다.

예수님의 청중들은 이 비유 속 인물에 관해 잘 알았다. 그러나 과연 청중들은 이 비유가 자신들을 겨냥한 것임을 알았을까? 교회에서 설교하는 중에 교만을 지적하는 말을 들으면 우리는 으레 옆자리에 앉은 성도에 관한 이야기려니 생각한다. '혹시 나를 두고 하시는 말씀인가?'라고 생각하지 않고 그저 '저 사람이 마음에 새겨들으면 좋으련만'이라고 생각한다. 하지만 그렇게 생각하는 순간, 우리는 교만한 사람이 된다. 예수님은 다른 사람 얘기라고 생각하는 사람들에게 말씀하신 것이다. 우리도 그런 착각에 빠질 때가 얼마나 많은가.

자, 두 사람이 성전에 들어와 기도를 시작한다. 흠잡을 만한 행동이라곤 눈곱만큼도 하지 않는 삶으로 만인의 존경을 받는 바리새인은 자신에 관한 기도를 한다.

> 하나님이여 나는 다른 사람들 곧 토색, 불의, 간음을 하는 자들과 같지 아니하고 이 세리와도 같지 아니함을 감사하나이다 나는 이레에 두 번씩 금식하고 또 소득의 십일조를 드리나이다(눅 18:11-12).

이 바리새인은 기도하는 중에 눈을 떴던 게 분명하다. 세리를 본 그는 자기 의를 더 부각시키기 위한 희생양을 발견했다며 속으로 쾌재를 부른다. 바리새인은 세리의 잘못을 꼬집고 나서 재빨리 자신의 베풂을 자랑한다. '하나님, 저는 일주일에 두 번씩 금식을 하고 모든 세전 소득에서 십일조를 드립니다. 그냥 아무 사심 없이 알려만 드

리는 겁니다. 아멘.'

여기서 바리새인에 관해 알아야 할 게 하나 있다. 그들이 종교적 법에 집착하게 된 건 원래의 종교 유산이 사라져 가는 현상을 보고만 있을 수 없었기 때문이다. 그들은 종교적 법이 무시되는 세태를 바로잡고자 일종의 종교 경찰이 되었다. 그렇게 좋은 의도로 시작했던 바리새인들은 이스라엘의 신앙을 해야 할 일과 하지 말아야 할 일의 끝없는 목록으로 전락시키고 말았다. 특히, 하지 말아야 할 일이 그 목록의 대부분을 차지했다. 하나님은 사람들을 위해서 그 법들을 주셨건만, 바리새인은 사람들이 그 법을 위해 살게 만들었다.

▲▲ 당신도 바리새인일 때가 있다

혹시 눈치 챘는지 모르겠지만 이 바리새인의 기도는 여러 시편처럼 '감사'로 시작되었다. 출발이 좋다. 하나님의 복과 선하심에 감사하니 얼마나 기특한가? 하지만 뚜껑을 열어 보면 그렇지가 않다. 이 남자는 '자기 자신'을 복으로 여기고 있다. '하나님, 제가 이렇게 멋진 사람인 것에 감사드립니다.' 나아가 바리새인은 자기 의를 더욱 빛나게 해 줄 악인을 물색한다.

물론 우리는 절대 이런 기도를 드리지 않을 거다. 그런데 정말 그런가? 다시 말하지만 그런 생각을 하는 순간, 우리는 똑같은 사람이 된다. 이 함정을 조심해야 한다. 거짓 겸손은 곧 교만이며, 교만은 당사자만 모를 뿐 다른 모든 사람에게는 훤히 보인다. 성경은 "마음에 가득한 것을 입으로 말함이라"(마 12:34)라고 말한다. 마음속에 교만이 가득하면 아무리 막으려고 해도 그 교만이 결국 입 밖으로 튀어나온다. 그렇다면 교만이 가득한 마음의 증상은 무엇일까? 내면의 바리새인이 입 밖으로 나오고 있는지 어떻게 알 수 있는가? 다음과 같이 할 때 당신은 바리새인이다.

"감히 나한테 그런 말을 해?"라고 말할 때

교만은 비판이나 지적의 말을 받아들이지 못하게 만든다. 즉 자신은 잘못한 게 없다는 것이다. 아울러 자신이 상대방보다 우월하다는 생각이 그 밑바탕에 깔려 있다. 지적하는 말을 들으면 우리는 기분 나쁘다는 투로 대꾸한다. 그나마 조금 나은 사람도 속으로는 냉소를 날린다.

당신에게 사랑의 지적과 비판을 해 주는 사람이 없다면 그것은 당신이 흠잡을 데 없는 사람이어서가 아니다. '비판할 거리가 있어야 비판하겠지.' 천만에, 사람들이 당신을 지적하지 않는 건 괜히 지적했다가 서로 얼굴만 붉힐 줄 뻔히 알아서다.

"사과할 사람은 내가 아니야"라고 말할 때

"교만에서는 다툼만 일어날 뿐이라"(잠 13:10). 교만은 자석처럼 갈등에 끌린다. 그리고 교만은 사소한 언쟁을 큰 싸움으로 키운다. 왜냐하면 교만한 자에게 세상에서 가장 힘든 일이 사과하는 것이기 때문이다. 사과하려면 겸손이 필요하다.

"내 잘못이야. 용서해 줘." 교만한 입술에서 이런 말은 절대 나오지 않는다. 사실 이런 말은 패배처럼 느껴질 수 있는데, 교만한 사람들은 싸움이나 언쟁에서 지는 걸 죽기보다 싫어한다.

교만이 극심한 사람은 그야말로 죽을 때까지 사과하지 않는다. 그들의 사전에 '내 잘못이오'라는 말은 없다. 교만한 사람은 아주 가끔 사과를 하더라도 항상 조건을 붙인다. "미안하긴 하지만……." 하지만 조건부 사과는 상대의 마음을 풀어 주지 못한다.

"이건 공평하지 않아"라고 말할 때

문제는 공평을 어떻게 정의하는가 하는 것이다. 다른 누구보다도 내가 복 받을 자격이 있다고 생각하면 모든 것이 불공평해 보인다. '왜 그가 승진했지?' '왜 그가 나보다 더 좋은 집에 사는 거야?' '왜 내가 아닌 저 사람이 장로가 되었지?' '왜 다들 저 여자만 칭찬하지?'

다른 이들의 성공을 축하할 줄 모른다면 필시 교만의 병에 걸린 것이다. 이미 받은 복에 대해 감사할 줄 모르는 것도 같은 병의 증상이다. 자신이 모든 것을 누려야 한다는 생각에 사로잡히면 무엇에도 감사할 수 없다. 뭐든 자기 손에 넣어야만 직성이 풀린다. 특권의식에 빠져 있는가? 모두의 인정을 받지 않으면 견디지 못하는가? 모두가 당신의 성과를 알아주기를 바라는가? 그렇다면 당신은 바리새인이다.

"혹시 너도 들었니?"라고 속삭일 때

바리새인은 험담하기를 좋아한다. 험담을 하면 자신이 더 빛나 보일 수 있다. 바리새인은 어디를 가나 세리 한두 명쯤은 쉽게 찾아 낸다. 다른 이의 실수는 인간 탑 꼭대기에 오르기 위한 편리한 사다리가 되어 준다.

"누구의 도움도 필요하지 않아"라고 말할 때

비유 속의 바리새인이 하나님의 도우심을 구하지 않았다는 사실을 아는가? '하나님, 그냥 확인만 해 주세요. 완벽하게 정리되어 있을 거예요.' 이 바리새인은 자신이 헌금에서 금식까지 할 일을 다 했다는 사실을 하나님께 알리고 싶을 뿐이다. 그는 자기 없이는 천국이 돌아가지 않을 거라고 확신한다.

교만은 하나님이 얼마나 절실히 필요한지를 깨닫지 못하게 만든다. 당신의 기도는 어떠한가? 불평과 자랑으로 가득 차 있다면 당신은 바로 교만한 사람이다.

"내가 아니라 네가 문제야"라고 말할 때

이것은 다른 사람의 흠을 찾아내는 시력이 좌우 2.0인 바리새인이 애용하는 표현이다. 바리새인은 주변에서 문제를 찾을 뿐 거울은 들여다보지 않는다. 그런 의미에서 성경은 교만이 눈을 멀게 한다는 점을 지적한다. 우리가 자신의 교만을 보지 못하는 건 바로…… 자기 교만 때문이다.

지난주에 아이들을 차로 학교까지 데려다주는 길에 아홉 살 먹은 아들이 뜨끔한 질문을 던졌다. "아빠, 왜 맨날 다른 운전자들에게 뭐라고 말해요? 어차피 듣지도 못하잖아요."

다른 운전자들이 듣지 못해도 아들이 듣는다. 그런데 아들이 들은 말은 다른 운전자들을 축복하고 격려하는 말이 아니었다. 내 잘못된 운전에 대해 반성하거나 사과하는 말도 아니었다. 늘 다른 운전자의 잘못을 격하게 지적하는 말이었다. 이렇듯 나는 남들이 어떤 잘못을 했는지는 금방 알아차리지만 내 잘못은 잘 보지 못할 때가 많다. 내 아들이 들은 말은 내 운전에 대해 자신하고 남들의 운전은 비판하는 바리새인의 말이었다.

내 자동차 유리는 다른 운전자들의 무개념 운전을 확대해서 보여 준다. 내 차에는 내 차만 빼고 다른 모든 차를 보여 주는 커다란 창문이 사방에 달려 있다. 나를 보여 주는 건 작은 거울 하나뿐이다.

또 다음과 같이 할 때 당신은 바리새인이다.

- 남의 실패를 기뻐할 때.
- 남들의 의견에 연연할 때.
- 세상에 오직 내 생각만 옳다고, 내 노력이 가장 중요하다고, 내 취향이 옳다고, 모두가 내 말을 들어야 한다고 절대적으로 확신할 때.

당신의 내면 어딘가에 작지만 매우 입김이 강한 바리새인이 숨어 있을지 모른다. 물론 당신만 그런 건 아니다. 교만은 인간의 궁극적인 죄다. 단순히 죽음에 이르는 죄들 중 하나가 아니라 그 모든 죄의 어미다. 우리가 아무리 쫓아내도 어느샌가 바리새인이 틈을 비집고 들어온다. 아니, 우리는 자발적으로 우리 안의 바리새인을 먹이고 입히고 키우며 대표기도 시간에는 그에게 마이크를 넘긴다. 그 결과 오래지 않아 바리새인이 우리 삶을 좌지우지한다. 그래서 한시도 방심하면 안 된다.

바리새인이 주도권 잡는 걸 열심히 경계하고 있다면 교만의 다음 문제로 넘어갈 차례다. 우리 안의 바리새인은 왜 그토록 강력한 걸까?

▲▲ 비교와 자랑질에 깊이 중독된 세대

우리 안의 바리새인을 이해하는 열쇠는 그 본질이 성과욕이라는 것이다. 성과는 눈에 보이는 부분이다. 성과는 우리가 실제로 하는 일이다. 겉모습에 집착하는 건 인간의 본성이며, 바리새인은 겉모습을 꾸미는 데 달인이다. 인생이 의로운 겉모습을 위한 시합이 되면 모든 규칙을 줄줄 꿰고 있는 바리새인이 백전백승한다.

그래서 바리새인은 규칙 준수와 성과 중심의 종교를 강조한다. 바리새인은 금식하고 나서 자랑한다. 모두가 볼 수 있도록 수표를 공중에 흔들고 나서 헌금을 한다. 바리새인은 언제나 선행의 '증거'를 과시한다. 남들의 생각에 연연하는 사람은 선한 행동 하나를 할 때마다 모두가 똑똑히 볼 수 있는 곳에서 한다.

마태복음 23장 5절에서 예수님은 이런 리더의 위선을 지적하셨다. "그들의 모든 행위를 사람에게 보이고자 하나니." 바리새인의 삶을 이보다 더 완벽하게 표현할 수 있을까? 예수님 설교에서 가장 자주 등장하는 주제 가운데 하나는 하나님이 우리 마음을 보신다는 것이다. 마음이야말로 우리가 어떤 사람인지를 가장 정확히 보여 준다. 그에 반해 성과는 위조하기가 너무도 쉽다.

성과 위주의 믿음은 정말 위험하다. 빛나는 성과에 대한 대중의 박수갈채를 받다 보면 점점 가식에 의지하기 시작한다. 성경 시대의 바리새인들은 규칙 준수와 경건한 행동에 관해서라면 따라올 자가 없었다. 하지만 모두 무의미한 짓이었다. 메시아를 눈앞에 두고도 알아보지 못했으니 말이다. 그들의 눈에는 굶주린 자들과 아픈 자들의 고통도 보이지 않았다. 그들이 중요하게 여기는 것은 하나님이 중요하게 여기시는 것과 전혀 달랐다.

사람들은 바리새인들을 사랑하고 존경했다. 그래서 바리새인들은 자기 자신을 사랑하고 존경했다. 그들은 자기선전의 재미에 푹 빠져 인류 역사상 가장 위대한 기적을 눈앞에서 놓쳤다.

하지만 1세기 종교 지도자들을 정죄하기에 앞서 우리 자신을 한 번 돌아보자. 우리도 소셜 미디어를 이용한 자기홍보에 얼마나 깊이 중독되어 있는가. 물론 여기에는 나도 포함되니 특정 대상을 비난하자는 게 아니다. 소셜 미디어는 우리의 가장 멋진 모습을 자랑하기 위한 도구다. 우리는 소셜 미디어에 남들에게 보여 주고 싶은 것만 올린다. 그래서 페이스북 피드를 쭉 훑어보면 하나같이 동화 속 세상 같은 모습만 나타난다. 또 그런 모습을 보면 우리 안의 교만이 똑같이 따라하라고 부추긴다.

소셜 미디어를 통해 겸손을 실천하는 건 거의 불가능하다. 그런데도 이런 시도를 하는 사람들이 있어 '겸손한 자랑'(humblebrag)이라는 신조어까지 등장했다. 이 주제에 관한 한 책에서는 겸손한 자랑을 겸손한 척하는 기술이라고 설명한다. 예를 들어, 한 사업가는 다음과 같은 트윗을 올렸다. "방금 세금 신고를 했다. 사람들의 말이 맞다. 돈이 많을수록 골치 아프다." 외모에 자신 있는 한 젊은 주부는 다음과 같은 글을 올렸다. "마트에서 계산대 직원이 음흉한 눈으로 나를 훔쳐보다가 계산을 틀리게 할 때마다 짜증이 폭발한다!" 한 엄마는 자신의 양육법을 이렇게 은근히 자랑했다. "우리 공주님이 오늘도 내 침대로 아침 식사를 대령했다. 먹는 얘기는 이쯤 하고……."

물론 위의 글은 사실상 노골적인 자랑에 가깝다. 그런데 우리는 실제로 은근한 자랑을 할 때가 얼마나 많은가. 이를테면, 힘든 여행을 다녀오느라 지쳤다는 식으로 '지쳤다'는 점을 강조하지만 내심 멋진 여행을 다녀왔다는 사실을 사람들이 알아주기를 바란다.

나는 겸손한 자랑이란 걸 해 본 적이 없노라고 말할 수 있으면 좋으련만 내 소셜 미디어 활동도 별반 다르지 않다. 나도 늘 내 삶에서 보이고 싶은 부분만을 올린다. 얼마 전에 우리 교회에서 한 외지인과 인사를 나누었다. 우리는 한 번도 만난 적이 없는데 그가 이렇게 말했다. "목사님은 저를 잘 모르시겠지만 저는 페이스북과 트위터로 목사님을 팔로우하고 있어서 목사님에 관해 잘 알고 있답니다." 그 말에 속으로 미소를 지었다. '당신은 내가 보여 주는 모습만 알고 있는 겁니다.' 문제점이 보이는가? 우리는 자신도 모르는 사이에 자랑질에 깊이 중독되었다.

당신의 비교 대상은 누구인가? 더 나은 사람이 되거나 직장에서 성공하고 싶다면 '상향 비교'를 하길 바란다. 본받을 만한 사람, 뭐라도 배울 점이 있는 사람을 보라. 하지만 교만한 사람은 그러기가 쉽지 않다. 물론 교만한 사람도 비교한다. 아니, 교만한 사람은 '항상' 비교를 한다. 다만 상대적으로 자신을 돋보이게 해 줄 사람들과 비교한다는 게 문제다. 그런 의미에서 교만은 열등감의 다른 얼굴이다.

누가복음 18장 이야기에 등장하는 바리새인은 하나님께 잘 보이려는 욕심에 '하향 비교'를 한다. 그는 다른 영적 리더들이나 구약의 선지자가 아닌 사회의 최하위층 중에서도 거의 바퀴벌레와 동급으로 취급받는 사람과 자신을 비교한다. 아울러 그는 그 자리에 있지도 않은 이들까지 나열한다. "토색, 불의, 간음을 하는 자들." 하나같이 자신보다 못하다고 백 퍼센트 확신할 수 있는 자들이다.

이 바리새인의 기도는 처음부터 끝까지 비교다. 사실, 이건 기도라고 볼 수도 없다. 어쨌든 이 바리새인에게 기도는 성과를 보고하는 시간이다. 그래서 그는 자신이 한껏 빛날 수 있도록 자신의 성과를 최악의 성과와 비교한다.

비교는 우리가 참 잘하는 것이기도 하지만, 함정이기도 하다. 다시 말하지만, 소셜 미디어를 보면 하나같이 행복한 모습뿐이다. 그래서 우리는 이에 질세라 더 행복한 모습을 올린다. 행복한 척하기 위한 한 가지 방법은 모두가 우리의 가장 좋은 모습만 볼 수 있도록 아예 사진 필터 앱을 사용하는 것이다. 그 결과, '진짜' 사진은 좀처럼 보기 힘들어졌다. 오죽하면 찍은 사진을 날 것 그대로 올렸다는 표시로 "#논필터" 해시태그를 붙인 글까지 나타났다. 하지만 이런 사진조차도 대개 자신의 가장 행복한 모습을 담은 것이기에 해시태그 또한 자랑질인 셈이다. 교만은 아무리 숨기려고 해도 감춰지질 않는다.

인생에서 가장 위험한 짓은 예수님 외에 다른 것을 의지하는 것이다. 그런데 교회에서 자란 많은 사람이 성과 중심의 종교를 의지한다. 바리새인처럼 그들은 하나님을 위해 무엇을 해야 할지에 집착하고 있다. 비록 바리새인처럼 기도하지는 않을지 몰라도 언제라도 제출할 수 있도록 나름의 자기 증명서를 준비해 놓고 있다. 이렇게 외적인 행동에 초점 맞추기가 너무도 쉽다. 하지만 예수님은 우리의 내면을 주목하신다. 오직 그분만이 볼 수 있는 곳, 우리의 실체, 절대 위조할 수 없는 것.

누가복음 18장의 바리새인은 일인칭 대명사 "나"를 연거푸 사용한다. "하나님이여 '나'는 …… 같지 아니함을 감사하나이다 '나'는 이레에 두 번씩 금식하고 또 소득의 십일조를 드리나이다"(눅 18:11-12). 자신의 교만 지수를 측정하고 싶다면 100단어 당 일인칭 대명사를 몇 번이나 사용하는지 확인하면 된다.

레위기 16장은 하나님의 법에 따라 1년에 하루 금식을 권장한다. 그런데 우리의 바리새인은 일주일에 두 번씩 금식한다. 하나님이 요구하시는 수준보다 100배 이상 많은 숫자다. 하지만 과연 하나님이 금식 횟수나 세고 계실까? 천국에 금식왕선발대회 같은 게 있을까? 중요한 것은 금식의 횟수가 아니라 금식의 마음가짐이다.

워렌 위어스비는 이렇게 말했다.

> 바리새인의 가장 큰 죄는 교만에서 비롯한 위선이었다. 그들의 종교는 내적이지 않고 외적이었다. 하나님을 기쁘시게 하기보다는 사람들에게 보이기 위한 종교였다. 그들은 사람들에게 무거운 짐을 지웠지만 그리스도는 사람들을 자유하게 하기 위해 오셨다(눅 4:18-19 참조). 바리새인은 직함과 공개적인 인정을 좋아했고 남들을 제물로 삼아 스스로를 높였다.[1]

▲▲ 예상을 뒤엎은 예수님의 평가

비유는 바리새인의 기도에서 세리의 기도로 넘어간다. 바리새인은 자기 자신으로 꽉 차 있었지만 세리는 자신의 끝에 이르러 있었다. 세리의 기도에서 그것을 확인할 수 있다. "하나님이여 불쌍히 여기소서 나는 죄인이로소이다"(눅 18:13). 흥미롭게도 예수님은 그의 자세까지 상세히 묘사하신다. 바리새인은 사람들의 관심을 한 몸에 받을 수 있는 곳에 서 있는 반면, 이 남자는 "멀리" 서 있다. 환한 조명이 비춰지기를 바라는 사람은 절대 사람들에게서 멀리 떨어져 서 있지 않는다.

또한 세리는 하늘도 쳐다보지 않는다. 이건 무얼 의미하는 걸까? 하나님을 뵐 면목조차 없다는 것이다. "가슴을 치며"라는 표현도 나온다. 세리의 기도는 입으로만 하는 게 아니었다. 말로만 죄인이라고 고백하는 게 아니라 죄에 대한 애통을 온몸으로 표현했다. 세리의 기도는 참으로 겸손했다. 그는 하나님을 진정으로 만나기 위해 성전에 왔을 뿐, 다른 사람의 이목 따위는 신경 쓰지 않았다. 그래서 세리는 사람들에게서 멀리 떨어져서 자신이 누구이며 하나님이 누구신지를 진정으로 아는 사람만이 드릴 수 있는 기도를 드렸다.

앞서 살폈듯이 마태복음 5장에서 예수님은 팔복의 하나로써 겸손한 자를 축복하셨다. 다음 장에서도 산상수훈은 계속되는데 이제 예수님은 하나님이 어떤 종류의 기도를 기뻐하시는지에 관해 말씀하신다. 《메시지》 성경은 이 구절을 다음과 같이 번역한다.

> 또 너희가 하나님 앞에 나아갈 때도 연극을 하지 마라. 그렇게 하는 사람들은 다 스타가 되기를 꿈꾸며 기도할 때마다 쇼를 일삼는다! 하나님께서 극장 객석에 앉아 계시다는 말이냐? 너희는 이렇게 하여라. 하나님 앞에서 연극하고 싶은 유혹이 들지 않도록, 조용하고 한적한 곳을 찾아라. 할 수 있는 한 단순하고 솔직하게 그 자리에 있어라. 그러면 초점이 너희에게서 하나님께로 옮겨지고,

그분의 은혜가 느껴지기 시작할 것이다(마 6:5-6).

바리새인은 세상이 무대고 자신이 하나님의 박수갈채를 받으며 연기하는 배우라고 생각했다. 그래서 더 많은 박수를 받기 위해 기존의 규칙에 집착할 뿐 아니라 끊임없이 새로운 규칙을 만들어 냈다. 바리새인은 앞에 보이는 모든 사람을 밀쳐내며 미친 듯이 의의 사다리를 올랐다.

그렇지만 하나님은 전혀 기뻐하시지 않았다. 하나님은 우리가 그분의 극장 좌석에 '앉아' 오직 그분의 영광만을 바라보기 원하신다. 왜냐하면 다른 영광은 없기 때문이다. 세리는 이 점을 이해하고 있었다. 세리는 '나의 끝'이 무엇인지를 똑똑히 보여 준다. 그는 하나님의 위엄 앞에 철저히 깨어지고 낮아져 있었다. 이제 세리가 할 수 있는 일은 그저 자기 죄를 깊이 인정하면서 긍휼과 은혜를 간구하는 것뿐이었다.

예수님은 이 이야기를 마치면서 성적을 매기셨다. 종교 전문가는 F 학점을 받고 종교 낙제생이 A 학점을 받았다. 고통스럽게 몸부림치며 기도했던 세리가 칭찬을 받았다. "저 바리새인이 아니고 이 사람이 의롭다 하심을 받고 그의 집으로 내려갔느니라 무릇 자기를 높이는 자는 낮아지고 자기를 낮추는 자는 높아지리라"(눅 18:14). 예수님은 또다시 모두의 예상을 뒤엎으셨다.

목회를 하면서 사람들이 해법을 찾기 위해 교회에 온다는 사실을 알게 되었다. 빚이나 중독, 가정불화 같은 문제가 있는 사람들이 초자연적인 방법이 있을까 기대하면서 교회에 오는 경우가 많다. 교회에 출석한 지 얼마 되지 않아 사람들은 문제 해결을 위한 깔끔한 행동 계획을 물어 온다. '뭘 어떻게 해야 할까요?' 우리는 언제나 '행동'에 답이 있다고 생각한다.

결과를 만들어 내기 위해서 해야 할 일이 있을 수도 있지만 관건은 언제나 우리 자신을 낮추는 것이다. 이렇게까지 말해도 끝까지 해야 할 일을 묻는 사람들이 있다. "지당한 말씀입니다. 물론 더 겸손해져야 하죠. 하지만 뭔가 '할 일'이 있을 것 아닙니까? 겸손해지라고만 말씀하시지 말고 구체적으로 어떻게 해야 하는지를 좀 알려 주세요." 내적으로 변화되는 것보다 외적으로 뭔가를 하는 게 훨씬 더 쉽다. 무엇을 해야 할지 알고 싶은가? 좋다. 이렇게 하면 된다.

- 멀리 서 있으라.
- 가슴을 치라.
- "하나님이여, 불쌍히 여기소서"라고 기도하라.
- 진심으로 하라.

약간 조심스러운 발언이긴 하지만, 여기서 마지막 항목이 가장 중요하다. 오직 자신을 낮출 때만이 그렇게 할 수 있다.

'하지 말아야 할 일'에도 관심이 있는가?

- 자기 의를 내세우지 마라.

- 자신의 이력서를 꺼내지 마라.

- 자신을 남들과 비교하면서 복을 구하지 마라.

- 하나님 앞에서 자신이 복 받아 마땅한 이유를 나열하지 마라.

- 하나님께 당신처럼 좋은 자녀를 둬서 좋으시겠다는 식으로 말하지 마라.

- 하나님께 감사 기도를 하면서 당신이 애쓴 것을 기도 속에 끼워 넣지 마라.

하나님 앞에서 자신을 낮추는 걸 대신할 것은 없다. 하나님은 오직 겸손한 마음을 기뻐하신다. 우리가 겸손히 낮아져 부르짖을 때 하나님의 능력이 임한다. 예수님이 전에는 한 번도 들어 보지 못한 새로운 말씀을 하신 걸까? 그렇지 않다. 구약에도 겸손의 중요성을 가르치는 구절이 많다. "주께서 곤고한 백성은 구원하시고 교만한 눈은 낮추시리이다"(시 18:27). "진실로 그는 거만한 자를 비웃으시며 겸손한 자에게 은혜를 베푸시나니"(잠 3:34). "나 여호와가 말하노라 …… 무릇 마음이 가난하고 심령에 통회하며 내 말을 듣고 떠는 자 그 사람은 내가 돌보려니와"(사 66:2).

산상수훈에서 예수님은 태초부터 진리인 것을 다시 정리해 주신 것이다. 이 진리가 모순처럼 보이는 건 우리가 오랫동안 거짓을 진실로 믿어 온 탓일 뿐이다.

▲▲ 능동적으로 자기를 낮추라

바리새인과 세리의 기도 비유에서 예수님이 마지막으로 하신 말씀에도 매우 중요한 의미가 담겨 있다. "자기를 낮추는 자는 높아지리라"(눅 18:14).

낮아지는 것은 수동적인 행위가 아니다. 누군가나 뭔가에 의해 어쩔 수 없이 낮아지는 것을 말하지 않는다. 실직이나 깨진 관계, 부서진 꿈은 우리를 밑바닥으로 끌어내린다. 그런데 예수님은 이게 아니라 '능동적인' 낮아짐을 말씀하신 것이다. 우리는 스스로 낮아지는 사람이 되어야 한다. 저절로 낮아질 때까지 기다려야 하는 게 아니다. '자기를 낮추라.' 뭔가 잘못된 말처럼 들리지 않는가? 심지어 약간은 자학증처럼 들린다. 우리는 자신을 낮추지 말고 당당하게 어깨를 펴고 살라고 배우며 자랐다.

몇 년 전 닉 왈렌다가 방송에 나왔을 때 엄청난 시청률을 기록했던 기억이 난다. 그는 2012년 외줄 하나로 나이아가라폭포를 건너 갔다. 그리고 2013년에는 외줄로 그랜드캐니언을 건넌 최초의 인간이 되었다. 나는 그리스도인인 그가 교만의 함정을 어떻게 다뤘는지 궁금했다. 최고의 자리에 올라 수백만 시청자의 열렬한 사랑을 받는 사람이 자신을 어떻게 낮출 수 있었을까?

지금부터 그 비결을 알려 줄 테니 잘 들어 보라. 왈렌다의 외줄타기 공연에는 구름처럼 많은 인파가 몰려든다. 그만큼 쇼가 끝나면 엄청난 쓰레기가 현장을 덮는다. 그런데 왈렌다는 외줄타기를 마친

뒤에 바로 이동하지 않고 몇 시간 동안 현장을 돌아다니며 팬들이
버리고 간 쓰레기를 주웠다. 그의 이야기를 들어 보자.

> 세 시간 동안 쓰레기를 줍는 일은 내 영혼에 매우 유익하다. 다른
> 사람은 어떨지 모르겠지만 내게는 겸손이 자연스럽지 않다. 그래서
> 스스로 낮출 수 있는 상황을 만들어야 한다면 …… 그렇게 한다.
> …… 그래야 넘어지지 않을 수 있기 때문이다. 예수님의 제자로서
> 나는 그분이 다른 이의 발을 씻어 주셨다는 것을 안다. 그래서
> 나도 그렇게 한다. 남을 섬기지 않으면 내 자아만 섬기게 되기
> 때문이다.[2]

거만한 마음은 넘어지는 지름길이란 걸 잘 기억해야 한다(잠 16:18
참조). 그렇다면 교만의 궁극적인 해법은 무엇일까? 빌립보서 2장에
서 예수님은 교만의 반대편 끝에 무엇이 있는지를 보여 주신다.

> 그는 근본 하나님의 본체시나 하나님과 동등됨을 취할 것으로
> 여기지 아니하시고 오히려 자기를 비워 종의 형체를 가지사
> 사람들과 같이 되셨고 사람의 모양으로 나타나사 자기를 낮추시고
> 죽기까지 복종하셨으니 곧 십자가에 죽으심이라(빌 2:6-8).

그리스도는 바로 겸손의 최고봉을 보여 주셨다. 예수님은 철저
히 자신을 비우고 낮추셨다. 근본 하나님의 본체이신 분이 그 지위

에 연연하지 않고 자기를 비우셨다. 여기서 주의할 점은 겸손마저도 자기 성과로 여겨서는 안 된다는 것이다. 그렇다면 어떻게 해야 진정한 겸손에 이를 수 있을까? 어떻게 해야 자신을 낮추되 그 겸손을 자랑스러워해서 모든 것을 망치지 않을 수 있을까?

내가 조언해 줄 수 있는 건 내가 찾아낸 몇 가지 유용한 방법을 알려 주는 것뿐이다. 나의 끝에 이르는 데 도움이 되는 방법을 아래에 소개하니 이를 바탕으로 당신만의 창의적인 방법을 찾아가길 바란다.

자발적으로 죄를 고백한다

들켜서 고백하는 것은 타의로 낮아지는 것이지 나를 낮추는 게 아니다. 추궁을 당하고 나서야 고백하는 것은 어쩔 수 없이 낮아지는 것일 뿐이다. 자발적인 고백이야말로 나를 낮추는 것이며, 하나님은 그렇게 하는 자들을 높여 주신다. 그것이 하나님의 약속이다. 반대로, 계속해서 죄를 짓지 않은 척할 수도 있다. 여기에도 약속이 딸려 있다. 그런 자는 굴욕을 당하면서 낮아진다. 그러니 스스로 낮아짐으로 높아지는 게 어떤가?

희생적으로, 익명으로 나눈다

익명으로 나누면 남들의 감사나 높임을 받을 수 없기 때문에 내 마음이 낮아진 상태를 유지할 수 있다. 또 희생적으로 베풀면, 즉 부담이 갈 정도로 베풀면, 그것이야말로 하나님 나라가 나 자신보다 더 중요하다는 확실한 고백이다. 그렇게 베풀 때마다 내 삶에서 내가 가장 중요한 존재가 아님을 새삼 기억하게 된다.

나보다 다른 사람을 더 잘 대해 준다

빌립보서 2장 3절에서 바울은 "오직 겸손한 마음으로 각각 자기보다 남을 낮게 여기고"라고 말했다. 현대인의 사고방식과 정반대가 아닌가? 우리는 자신을 가장 먼저 챙기고 어디서든 일등이 되라고 배우며 자랐다. 그러나 이제부터 나보다 남들을 더 소중히 여기면 어떨까? 식사 메뉴를 친구에게 고르라고 한다든지, 내 말만 하지 말고 배우자의 말에 더 귀를 기울이면 어떨까? 친척이 도움을 요청하면 아무리 귀찮은 일이라고 해도 발 벗고 나서면 어떨까? 맨 앞자리나 가장 큰 파이, 가장 좋은 경관, 가장 큰 상을 놓고 싸우지 말고 서로 양보하면 어떨까? 나를 낮추려면 누가 봐도 나보다 서열이 낮은 사람을 나보다 상석에 앉혀야 한다.

도움을 요청한다

"이런 문제가 생겼는데 어떻게 해야 할지 모르겠습니다. 도와주세요." 다른 이에게 이렇게 말하려면 자존심을 내려놓아야 한다. 남자들은 좀처럼 이렇게 하질 못한다. 심지어 설명서를 읽거나 남에게 길을 묻는 것조차 싫어한다. 하지만 나는 자신을 낮춰 도움을 요청할 때마다 복으로 가는 새로운 문이 열리는 경험을 했다.

여기에 당신만의 방법을 더하기 바란다. 창의력을 발휘하라. 자신을 낮춘다고 해서 자신을 깎아내리거나 푸대접하라는 말이 아니다. 당신 자신을 어떻게 낮출 수 있을까? 다음 장으로 넘어가기 전에 당신만의 목록을 써서 눈에 잘 띄는 곳에 붙여 보라.

자신을 낮추기 위한 전략은 거의 탐구가 이루어지지 않은 방대한 미개척지다. 모든 상황이 겸손을 실천할 실험실이요 그리스도를 높이고 교만을 십자가에 못 박을 기회다. 아직 아무도 가지 않은 길로 과감히, 아니 겸손히 가 보라.

나의 끝,
'진짜 예수'를 만나기 위한 벌거벗음

chapter 4

'실제 삶'과
'보이는 삶'이
같기를 바라신다

할아버지가 돌아가셨을 때 장례식에 참석하기 위해 고향에 갔다. 당시 세탁하지 않은 정장 바지를 가져갔고, 그 지역에서 차로 돌아다니다가 '한 시간 세탁소'란 곳을 발견했다. 바로 그날 저녁에 그 정장 바지를 입어야 했기 때문에 제대로 찾았다고 생각했다.

바지를 들고 세탁소 안에 들어가 주인아주머니에게 미소를 지어 보였다. "타지에서 왔는데 이곳을 찾아서 정말 다행이네요. 한 시간 세탁소 맞지요?"

"예, 맞습니다."

"이 바지를 세탁해 주실 수 있나요?"

"물론이죠."

"그럼 바지를 두고 갈게요. 잠깐 볼일을 보고 한 시간쯤 뒤에 찾으러 오면 되는 거죠?"

그러자 아주머니는 내가 못할 말이라도 한 것처럼 째려보며 말했다. "내일 찾으러 오세요."

"내일이요? 하지만 분명 간판에 '한 시간 세탁소'라고 쓰여 있잖아요." 내가 밖을 가리키며 말했다.

아주머니는 씹던 껌을 몇 번 우물거리더니 다시 퉁명스럽게 말했다. "맞아요. 하지만 세탁을 어떻게 한 시간 만에 합니까?"

"그러면 '하루 세탁소'로 가게 이름을 바꾸셔야 하는 것 아닙니까? 아니면 '주인 마음대로 세탁소'라고 하시든지."

아주머니는 여전히 껌을 씹으며 나를 노려봤다. 이 아주머니의 입장에서는 내가 이상한 주문을 하는 진상 고객이었다.

생각 같아선 더 쏘아붙이고 싶었지만 억지로 참았다. 혹시 내가 고향을 너무 오래 떠나 있어서 그 사이에 그곳의 언어가 내가 알아들을 수 없을 정도로 변해 버렸던 것일까? 아니다. 이것은 엄연히 거짓 광고의 한 사례다. 광고와 현실이 다른 것을 좋아할 사람은 아무도 없다. 보이는 부분은 보이지 않는 부분과 일치해야 한다.

하지만 이 원칙을 우리 자신에게 적용하면 얘기가 조금 달라진다. 기업의 허위 광고를 신랄하게 비판하는 사람도 막상 거울 앞에 서서 자기가 세상에 진짜 모습을 보여 주고 있는지를 물으면 자신에게는 한없이 관대해지기 마련이다.

많은 사람이 거부에 대한 두려움 때문에 진정성을 잃고 있다. 우리는 다른 이들에게 자신의 가장 좋은 모습만을 보여 주길 원한다. 그래야 그들이 우리를 받아 줄 가능성이 조금이라도 높아지기 때문이다.

그렇지만 어쩌면 흠을 숨기려고 그렇게 애쓸 필요가 없을지도 모른다. 어쩌면 사람들이 우리를 있는 모습 그대로 좋아해 줄 수도 있다. 심지어, 오히려 흠 때문에 우리에게 '더' 끌릴지도 모른다. "나도 그래. 나도 똑같은 문제를 가지고 있어. 동지를 만난 것 같아 기뻐." 사람들이 진심으로 그렇게 말할 수 있다.

하지만 우리는 그런 모험을 원치 않는다. 두려움은 투명성의 최대 적이다. 우리는 자신의 흠을 좋아하지 않는다. 그렇게 자기도 보기 싫은 흠을 남들이 좋아할 리가 없을 것만 같다. 그래서 우리는 어떻게든 남들에게 좋은 모습만 보여 주려고 애쓴다.

이제 예수님이 산허리에서 전하신 설교로 돌아가 보자. 팔복 얘기를 끝내기 전에 이 역설적인 복 중에 하나만 더 살피고 넘어가자. 예수님은 천국이 밑바닥에 있는 자들, 상석이 아니라 말석에 앉은 자들, 교만하고 강한 자들이 아니라 심령이 가난한 자들, 고압적인 자들이 아니라 순하고 부드러운 자들의 편이라고 말씀하셨다.

이 설교에서 예수님은 외면과 내면의 차이점에 관해 많은 말씀을 하셨다. 그분 말씀에 따르면, 하나님께는 내면에 있는 우리의 진짜 모습이 중요하다. 예수님은 남들에게 보이는 부분만 가꾸는 사람들이 많지만 하나님은 우리 마음속으로 들어와 진짜 모습을 보신다고 말씀하셨다. 그래서 예수님은 이렇게 말씀하셨다.

> 마음이 청결한 자는 복이 있나니 그들이 하나님을 볼 것임이요(마 5:8).

마음이 청결한 자. 생각할 거리가 많은 표현이지 않은가? 이것은 더는 삶의 껍데기에 신경 쓰지 않고 자신을 진짜 모습과 다르게 포장하려는 모든 노력을 그만둘 때 복된 삶을 살 수 있다는 뜻이다. 겉과 속이 일치하면 마음이 청결한 것이며, 바로 그것이 하나님이 원하시는 마음이다.

나의 끝에 다다른 사람은 남들에게 잘 보이려고 애쓰지 않는다. 그는 하나님이 자신의 진짜 모습을 보신다는 걸 잘 알기에 거짓된 이미지를 구축하려고 노력하지 않는다.

▲▲ 내 마음에 무엇이 뒤섞여 있는가

'청결한 마음'이란 무슨 뜻일까? 예수님이 "청결"(pure)이란 단어를 꺼내시자마자 청중의 귀가 쫑긋했을 것이다. 당시 종교의 본질을 한 단어로 요약한다면 바로 '정결'(purity)이었기 때문이다. 정결하다는 건 그릇된 것에 감염되지 않아 깨끗하다는 뜻이었다. 하지만 바리새인을 비롯한 종교 지도자들은 정결을, 눈에 보이는 외적인 측면에서만 정의했다. 그래서 그들에게 정결은 수많은 종교적 규칙을 엄수하는 걸 의미했다.

이를테면 이스라엘 초기에 모세가 하나님께 받은 율법대로 특정한 음식을 먹지 말아야 했다. '불결한' 음식을 먹으면 사람 자체가 불결해졌다. 이는 오랜 전통이었다. 문제는 '불결한' 사람들, 즉 이방인들과 한 상에서 밥을 먹어도 불결해진다는 것이었다. 하지만 예수님은 틈만 나면 이방인들과 함께 식사하셨다.

바리새인은 자신이 청결하다는 점을 증명해 보이기 위해 무던히 애썼고, 아울러 남들도 청결하게 만들기 위해 눈에 불을 켜고 다녔다. 하지만 예수님은 그들의 청결 개념을 완전히 뒤엎으셨다. 예컨대 마태복음 23장에서는, 그들이 안은 지저분하면서 "잔과 대접의 겉"(25절)만 깨끗하게 하는 데 급급하다고 지적하셨다. 그러고 나서는 그들을 "회칠한 무덤"(27절)에 빗대셨다. 회칠한 무덤을 상상해 보라. 겉은 깨끗해 보이지만 그 안에는 죽음과 부패가 가득하다.

가혹한 표현이긴 하지만 예수님이 무엇의 청결을 가장 중요하게 여기셨는지를 정확히 말해 준다. 아름다운 모양과 화려한 색깔도 좋지만 정말로 중요한 건 외부가 아니라 내부다. 예수님의 역설적이고 내적인 메시지의 핵심은, 하나님은 조작하기 쉬운 외면에는 크게 신경 쓰시지 않는다는 것이다. 하나님은 우리 내면의 본모습을 더 눈여겨보신다.

그래서 예수님은 '청결'이라는 낡은 단어를 새롭게 조명해서 그 의미를 180도로 비트신다. 예수님은 외적인 모습에 집착하지 말고 하나님이 내면을 보신다는 점을 깨달으라고 가르치셨다. 청결한 마음이 청결해 보이도록 치장하는 것보다 더 중요하다.

'청결'이란 단어는 두 가지 의미로 생각할 수 있다. 하나는 불순물이 섞이지 않았다는 뜻이다. 초등학교 시절 우리 동네에서 흥미로운 게임이 열렸다. 저마다 달걀과 땅콩버터, 케첩, 겨자, 치즈까지 집 냉장고에서 음식을 있는 대로 꺼내와 섞는 게임이었다. 뜻밖에도 우리 어머니는 게임을 허락하시되 두 가지 조건을 내거셨다.

1. 먹을 수 있는 음식만 섞을 것. 흙이나 돌, 쇠는 금물. 면도 크림
   같은 물건에 대해서는 알아서 판단할 것.
2. 최종 혼합물을 각자 한 숟갈씩 먹을 것.

두 번째 조건 때문에 게임은 재미가 없어졌다. 결과물이 하나같
이 구역질나게 생겼을 뿐 아니라 실제 냄새와 맛은 더 지독했기 때
문이다. 우리 마음이 이런 뒤섞기 게임과 비슷하다는 생각이 든다.
불순물이 가득 뒤섞여 순수하지가 않다. 당신은 마음에 어떤 요소들
을 부어 뒤섞었는가?

신약 성경은 우리가 마음에 집어넣는 것에 관해 많은 말을 한다.
예를 들어 바울은 이렇게 말했다. "무엇에든지 참되며 무엇에든지
경건하며 무엇에든지 옳으며 무엇에든지 정결하며 무엇에든지 사랑
받을 만하며 무엇에든지 칭찬 받을 만하며 무슨 덕이 있든지 무슨
기림이 있든지 이것들을 생각하라"(빌 4:8). 마음에 좋은 요소를 붓고
나쁜 요소를 차단하면 하나님이 기뻐하시는 요리가 탄생한다. 잠언
11장 20절은 이렇게 말한다. "마음이 굽은 자는 여호와께 미움을 받
아도 행위가 온전한 자는 그의 기뻐하심을 받느니라."

청결한 마음은 진실한 마음이라고도 할 수 있다. 예수님이 말씀
하신 청결한 마음은 추악한 모습을 숨기고 있지 않은 정직한 마음이
다. 앞서 말했듯이, 마태복음 5장에서 예수님은 팔복으로 알려진 복

의 목록을 제시하면서 사역을 시작하셨다. 하지만 마태복음 23장을 보면, 사역을 마칠 때는 "화"의 목록을 제시하셨다. 이 목록에는 앞서 소개한 대접과 회칠한 무덤이 등장한다. 그때는 예수님이 체포될 시간이 코앞으로 다가와 있었다. 예수님은 이 땅에서의 삶이 불과 며칠밖에 남지 않았음을 알고 계셨다. 예수님은 성전 안에서 바리새인들의 위선을 대놓고 지적하셨다. "그들의 모든 행위를 사람에게 보이고자 하나니"(마 23:5). 위선은 진실의 반대다.

예수님은 위선자에 관해 말씀하실 때 이사야서도 인용하셨다. "이 백성이 입술로는 나를 공경하되 마음은 내게서 멀도다"(마 15:8).

정리해 보자. 예수님은 "마음이 청결한 자는 복이 있나니"라는 말씀으로 사역을 시작하고 "화 있을진저 외식하는 …… 너희는"이란 말씀으로 사역을 마치셨다. 여기서 물론 "화"는 "복"의 반대말이다. 또한 이것은 슬픔의 표현이기도 하다. 예수님은 불순물이 섞이지 않고 진실만 가득한 청결한 마음을 가진 자에게 하나님의 가장 좋은 것이 찾아온다고 말씀하셨다. 반면, 섞기를 좋아하는 자에게는 최악의 것이 찾아올 것이다.

▲▲ 별 스티커를 따기 위한 신앙생활

마태복음 6장에서 예수님은 또다시 마음의 청결에 관해 말씀하셨다.

사람에게 보이려고 그들 앞에서 너희 의를 행하지 않도록

주의하라 그리하지 아니하면 하늘에 계신 너희 아버지께 상을

받지 못하느니라(마 6:1).

천국에서는 우리가 어떤 관중을 선택하느냐에 따라 많은 것이 달라진다. 남들이 어떻게 생각할지를 가장 중시하면 남들의 관심이나 박수가 우리의 상이 된다. 다른 사람에게 '대단한 사람'이라는 칭찬을 받으면 그것이 우리의 상이다. 그리고 이 상을 받을 만큼 받고 나면 하나님의 칭찬은 기대하지 않는 편이 좋다.

하지만 나의 끝에 이른다는 건 인간의 공허한 칭찬에 대한 미련을 버린다는 뜻이다. 대신 하나님만을 기쁘시게 하기 위해 노력한다. 사람이 아닌 하나님께 받을 상만 기대한다. 극장의 문을 걸어 잠그고 비평가나 대중의 평가에 대한 생각은 잊은 채 오직 한 분을 위해서만 연기하는 사람, 바로 그 사람이 자신의 끝에 이른 사람이며, 그는 하나님의 복을 누린다.

어릴 적에 나는 한 주도 빠짐없이 교회에 출석하는 아이였다. 주일학교 예배당 안에는 아이들이 교회 생활을 얼마나 잘하는지 한눈에 보여 주는 표가 붙어 있었다. 뭔가를 잘할 때마다 그 표에 스티커가 붙었다. 예를 들어, 출석할 때마다 스티커 한 장을 받았다. 성경책을 가져오는 것과 작은 봉투에 헌금을 담아오는 것도 각각 스티커 한 장씩이었다. 친구를 데려오면 스티커가 여러 장이었던 걸로 기억한다.

지금 와서 생각해 보면 작은 별 스티커에 불과했다. 사탕이나 공짜 선물 같은 게 딸려오는 것도 아니었다. 하지만 이 스티커에는 승부욕을 일으키는 뭔가가 있었다. 인간은 본래 경쟁적인 존재다. 그래서 아이들의 이름을 종이 한 장에 써서 '순위'를 매기면 다들 이기려고 애쓰기 시작한다. 이것이 인간의 본성이다.

나도 그 별을 얻으려고 애썼던 기억이 난다. 점점, 성경책을 손에 들고 왔는지 혹은 헌금 봉투가 성경책 사이에 끼어 있는지가 내 신앙의 척도가 되어 갔다. 교회에 빠지기라도 하는 날이면 하루 치 별이 다 날아가는 셈이었다. 별 스티커는 아이들에게 좋은 신앙 습관을 길러 주기 위한 탁월한 전략이었다. 그러나 이런 전략의 문제점은, 마음은 없이 할 일을 하기만 하면 신앙생활을 잘하고 있다는 착각을 심어 줄 수 있다는 것이다.

어른이 되어서도 우리는 사람들을 관찰하며 머릿속으로 별 스티커를 주거나 주지 않는다. 빤질빤질한 표지의 멋진 성경책이 아니라 어릴 적에 쓰던 누더기 성경책을 들고 온 저 남자. 즉시 우리는 머릿속에서 그의 스티커를 떼어낸다. 오늘도 어김없이 성경공부 모임에 나타난 저 여자. 그녀에게는 스티커 한 장을 새로 붙여 준다. 그렇게 우리는 외적인 모습에 따라 남들을 평가한다.

하지만 예수님은 외양에 집착하는 종교 지도자들을 호되게 꾸짖으셨다. "그들의 모든 행위를 사람에게 보이고자 하나니"(마 23:5). 예수님은 기도와 금식을 눈요기 쇼로 전락시킨 바리새인을 기뻐하지 않으셨다. 그들은 얼굴을 초췌하게 꾸미고 몸에 재를 발라 모두에게 자기 의를 과시했다. 종교 지도자들의 길거리 행위 예술이라니, 상상만 해도 웃기지 않은가? 하지만 혹시 우리도 똑같은 짓을 하고 있다는 걸 아는가?

식당에서 기도 드릴 때 우리 마음은 얼마나 순수한가? 정말로 일용할 양식을 주신 하나님께 감사하는 마음뿐인가? 혹시 주변 사람들의 시선을 조금이라도 의식하고 있지는 않은가? 교회 봉사에 자원하기 위해 손을 들 때 순수하게 하나님을 기쁘시게 하겠다는 마음뿐인가? 아니면 남들에게 깊은 인상을 심어 주려는 마음이 더 큰가? 헌금함 앞에 갈 때 누가 지켜보고 있는지에 신경을 쓰는가? 대표 기도를 하기 위해 앞에 섰을 때 하나님의 귀와 교인들의 귀 중 무엇에 더 신경을 쓰는가?

▲▲ 나를 좀 봐 주세요!

지난 장에서 소셜 미디어가 다른 사람들의 이목에 너무 신경 쓰는 요즘 세태에 일조한 측면이 있다는 말을 했다. 이 이야기를 좀 더 해 보고자 한다. 그러나 먼저 내가 소셜 미디어 자체를 반대하는 건 아니라는 점을 분명히 밝히고 싶다. 나는 소셜 미디어가 얼마든지 좋은 목적에 사용될 수 있다고 생각한다. 하지만 내가 관찰한 바로 소셜 미디어가 주로 삶의 겉모습을 꾸미는 도구로 사용되는 것만큼은 사실이다. 페이스북과 인스타그램 같은 것이 하나님 나라에 매우 유용한 도구로 사용될 수 있기는 하지만 그것에 관해 깊이 고민하고 기도할 필요성은 있다. 현대인들이 남들의 의견에 집착하는 데는 소셜 미디어의 영향도 크기 때문이다.

당신이 가족 여행을 다녀온다고 해 보자. 분명 당신이 소셜 미디어에 올리는 것과 올리지 않는 게 있을 것이다. 해변에서 행복한 한때를 보내는 단란한 가족의 모습? 당연히 올려야 한다! 해변으로 가는 차 안에서 서로 다투는 장면? 절대 올려서는 안 된다!

우리는 서로의 눈을 지그시 바라보는 사진과 함께 "남편과 주말 밤 데이트!"란 제목의 글을 올린다. 그 글로 자신이 좋은 남자를 만나 얼마나 행복한지를 마음껏 자랑한다. 하지만 누구도 월요일 아침의 사진은 올리지 않는다. 바쁜 출근 시간에 서로에게 있는 대로 짜증을 부리는 두 사람.

목가적인 소셜 미디어 풍경 이면에는 사랑 노래가 아니라 기도가 필요한 사람들이 있다. 밀린 카드 대금, 풀리지 않는 갈등, 방황하는 자녀. 물론 꼭 이런 것을 숨기려고 특별히 노력하는 건 아니다. 단지 우리 삶의 좋은 면을 함께 나누고 싶을 뿐이다. 하지만 아무리 봐도 스마트폰이나 컴퓨터 화면이 투명성보다 눈에 보이는 결과를 중시하는 풍조를 부추기고 있는 듯하다.

예전에는 성탄카드가 좋은 자랑거리였다. "봐, 우리 손자 녀석들이 보낸 카드야. 온 가족이 웃고 있는 게 정말 단란해 보이지. 한 해 동안 이렇게 상을 많이 받았다네." 요즘에도 성탄카드를 보내긴 하지만 자랑질은 소셜 미디어로 이동한 지 오래다. 덕분에 이제는 성탄절만이 아니라 사시사철 우리의 행복한 모습을 자랑할 수 있다. 소셜 미디어에 중독되면 삶의 초점이 변한다. 이제 자기 의를 온 세상에 과시하는 데 막대한 시간을 허비하게 된다.

지금도 바리새인이 있다면 트위터에서 무수한 팔로워를 거느리고 있지 않을까 싶다. 그들이 금식하면서 5천 일 연속으로 모세의 율법을 어기지 않았다고 말하면 사람들이 박수갈채를 보내 올 것이다. "그 문둥병자들을 혼내 주다니 정말 대단해요! 직접 봤어야 하는 건데!" 이런 댓글이 줄줄이 달릴 것이다.

"제가 어떻게 울며 회개하고 있는지 실시간으로 올리겠습니다. 댓글 다는 걸 잊으시면 안 돼요!" 바리새인이 이런 글을 올리면 역시나 환호의 댓글이 줄을 이을 것이다. 그리고 이런 댓글은 당연히 울며 회개하는 데 전혀 도움이 되지 않는다.

"언젠가 당신의 실제 삶이 페이스북에 올린 삶만큼 행복해지길." 어느 날 이런 문구를 보고 무릎을 쳤던 기억이 난다. 어떤가? 당신에게는 소셜 미디어에 올린 삶이 얼마나 중요한가? 그리고 이것이 마음의 청결과 무슨 상관인가?

소셜 미디어가 성과에 대한 집착을 버리고 우리의 끝에 이르게 도와준다면 좋겠지만 현실은 그렇지 않다. 소셜 미디어는 우리로 하여금 행복한 연기를 하게 만들고, 연기하는 삶은 지독히 피곤하다. 존 스토트는 소셜 미디어가 나타나기도 전에 연기하는 삶의 문제점을 꼬집었다.

실제 삶과 남들에게 보이는 삶이 일치하는 사람이 얼마나 적은가. 우리는 상황에 따라 다른 가면을 쓰고 다른 역할을 연기하고 싶은 유혹을 느낀다. 하지만 그것은 실제가 아니라 연기이며, 연기는 곧 위선이다. 거짓의 껍데기로 삶을 철저히 포장하는 바람에 어떤 부분이 진짜고 어떤 부분이 가짜인지 본인도 알 수 없는 지경에 빠진 사람이 많다.[1]

예수님은 실제 삶과 남들에게 보이는 삶을 일치시키라고 촉구하셨다. 그분은 이런 상태에 대해 "마음이 청결한 자"란 표현을 쓰셨고, 이렇게 사는 사람들에게 풍성한 복을 약속해 주셨다.

▲▲ 교회, 신음하는 자들을 살리는 병원

위선자는 마음이 청결한 자의 반대다. 예수님은 그분의 백성이 삶을 통해 하나님의 능력과 은혜를 드러내길 원하셨다. 하지만 그들의 지도자들은 자기 삶을, 배우에게 이목이 집중되는 싸구려 극장으로 전락시켰다. 종교 지도자들은 외면으로 내면을 평가했다. 옳은 규칙대로 연기하기만 하면 그들의 시험을 통과해 경건한 사람으로 대접을 받았다. 그들은 심지어 패션으로까지 믿음을 평가했다. 예수님의 말씀을 들어 보자.

그들의 모든 행위를 사람에게 보이고자 하나니 곧 그 경문 띠를 넓게 하며 옷술을 길게 하고(마 23:5).

경문은 성경 구절이 새겨진 양피지 조각을 담은 가죽 상자였다. 이것은 하나님 말씀을 손목에 매고 이마에 붙이라는 구약 신명기의 명령에 따라 생긴 물건이었다. 물론 이 명령의 진정한 의미는 하나님의 말씀을 마음에 새겨 어디든지 품고 다니라는 것이다.

하지만 종교 지도자들은 이 명령을 문자 그대로 지켜야 한다고 생각했다. 그래서 이마와 왼팔에 검은 상자 하나씩을 차고 다녔다. 그런데 이것이 전통으로 정착되면서, 자기 의를 더 크게 과시하기 위해 상자가 점점 커지는 기현상이 나타났다. "저길 봐. 의로운 바리새인이야. 저 이마에 달린 상자의 크기를 봐!"

그 다음에는 "옷술"이 나타났다. 옷술은 옷의 가장자리에 다는 여러 가닥의 청색 실을 말한다. 이번에도 바리새인은 옷술이 더 길어야 자기 의가 더 확실히 드러난다고 생각했다. 바리새인은 오로지 겉으로 드러나는 것에만 집착하고 있었다. 당시 네온사인이 발명되어 있었다면 그들은 자신의 옷에 "하나님의 총애를 받는 자!"라는 네온사인이라도 달았을 것이다.

하나님이 교회에 입고 가는 옷에 지독히 신경을 쓰신다고 믿는 사람들이 아직도 있다. '가장 좋은 옷을 입고 가야 하나님이 기뻐하셔.' 물론 하나님의 전에 갈 때 최대한 정성스럽게 차려입는 것 자체는 잘못된 게 아니다. 정말로 다른 이의 시선에 신경 쓰지 않고 "사람은 외모를 보거니와 나 여호와는 중심을 보느니라"(삼상 16:7)라는 말씀을 기억한다면 문제 될 게 없다.

하나님은 예배와 관계를 비롯해서 우리의 모든 것에서 진정성을 원하신다. 하나님은 남들 앞에서 보이는 삶과 실제 삶이 일치하기를 바라신다. 예수님은 외적인 모습을 영원한 운명과 동일시하는 자들에게 화가 있다고 말씀하셨다. 복장에 관한 자신만의 편견으로 남의 신앙을 평가하는 자에게 화가 있도다. 신앙의 행진을 레드카펫 패션쇼로 변질시키는 자들에게 화가 있도다. 기도하고 하나님과 교제하는 데 힘쓰기보다는 멋을 부리는 데 정신이 팔린 자들에게 화가 있도다.

비행기 일등석에 딱 한 번 타 본 적이 있는데, 그 한 번의 경험이 정말 대단했다. 당시 내가 탔던 비행기가 예약을 한도 이상으로 받는 바람에 몇 사람이 일등석으로 옮겨 앉게 된 것이다. 거기에 포함된 나는 속으로 환호성을 질렀다. 그리하여 일등석에 앉은 나는 설교 원고를 검토하는 대신 일등석에 어울리지 않는 사람들이 누가 있나 보려고 두리번거리기 시작했다.

솔직히, 대부분이 일등석에 어울리지 않아 보였다. 지저분하게 긴 머리에 귀걸이와 문신을 한 남자. 절로 눈살이 찌푸려졌다. 비행 중에 신발을 벗어 구멍 난 양말을 드러내 보인 남자. 나도 모르게 고개를 흔들었다. 게걸스럽게 음식을 먹던 여자. 정말이지 떠올리기도 싫다. 열에 아홉은 일등석 감이 아니었다.

겉모습에 신경을 쓰면 나처럼 된다. 몇 년 전 루이빌 시내의 한

극장에서 친구를 우연히 만났다. 우리는 복도에 서서 한참 수다를 떨었다. 그는 머리카락이 꽤 길고 행색이 지저분했다. 그날은 토요일 밤이었는데, 이튿날 아침 교회 로비에서 몇몇 교인이 나를 불러 세웠다. 그중 한 명이 이렇게 말했다. "어제 그 극장에서 목사님이 험상궂게 생긴 사람과 얘기하시는 것을 봤어요. 그런 사람과도 스스럼없이 어울리시는 모습에 깊은 감명을 받았답니다. 그 젊은이를 위해 기도했어요."

잠시 무슨 이야기인가 어리둥절했다. 그들과 헤어져 한참을 걸어가다가 방금 들은 게 어제 만난 내 친구 이야기라는 걸 간신히 알아차렸다. 그런데 그 친구는 바로 우리 대학 사역의 찬양 리더이자 내가 아는 가장 마음이 청결하고 겸손한 사람 중 한 명이었다. 하지만 교인들은 외모만 보고서 한 '잃어버린 양'을 위해 기도했던 것이다.

복장은 전통이기 때문에 중요하다고 말할 사람도 있을 것이다. 물론이다. 하지만 전통이, 예수님이 종교 지도자들을 비판하셨던 것 중 하나라는 사실을 아는가? 그들에게는 사람보다 전통이 더 중요했다. 하나님은 우리의 예배 장소가 천국행 승객들을 위한 일등석이 아니라 신음하는 자들을 살리는 병원이 되기를 원하신다.

▲▲ 꾸미는 기도를 멈추라

마태복음 6장에서 예수님은 깨끗하지 못한 마음의 또 다른 예를 제시하신다.

> 또 너희는 기도할 때에 외식하는 자와 같이 하지 말라 그들은 사람에게 보이려고 회당과 큰 거리 어귀에 서서 기도하기를 좋아하느니라 …… 너는 기도할 때에 네 골방에 들어가 문을 닫고 은밀한 중에 계신 네 아버지께 기도하라 은밀한 중에 보시는 네 아버지께서 갚으시리라(마 6:5-6).

그 시대 유대인들은 기도를 무의미한 의식으로 변질시켰다. 한 예로, 그들은 매일 아침 9시 전과 매일 저녁 9시 전에 '쉐마'를 암송해야 했다. 그 시간에 집이나 거리, 일터, 어디에 있든 무조건 하던 일을 멈추고 쉐마를 읊어야 했다. 그렇게 하다 보니, 그것이 의미는 생각지도 않고 무의미하게 외우기만 하는 '중언부언'이 되어 버렸다.

유대인들이 매일 복창해야 하는 두 번째 기도는 '18'을 뜻하는 '쉐모네 에스레'였다. 18개의 기도문 묶음이어서 이런 이름이 붙었다. 이 기도문을 하루에 세 번 암송해야 했다.

유대인에게는 모든 행사를 위한 특별한 기도문이 따로 있었다. 식전 기도문, 월삭을 위한 기도문, 좋은 소식을 들었을 때 드리는 기도문, 성에 들어갈 때나 성에서 나올 때 드리는 기도문도 있었다. 유대인은 기도가 길수록 효과도 좋다고 생각했다. 이는 매우 편리한 시스템이었다. 모든 상황에 대한 기도문이 미리 작성되어 있으니 말이다. 기도할 사람이 준비할 것은 입이 전부였다.

하지만 기도에 대한 예수님의 생각은 완전히 달랐다. 예수님은 사랑하는 사람과 대화하듯 있는 그대로 하나님께 이야기하면 된다고 말씀하셨다.

기도할 때 우리는 영적인 표정과 목소리로 돌변할 때가 얼마나 많은가. 우리는 있는 그대로 이야기하는 걸 어려워한다. 사람들 앞에만 서면 하나님보다 사람들을 의식해서 기도한다. 심지어 혼자 기도할 때도 순수한 의도만으로 하는 게 쉽지 않다. 우리는 마치 하나님이 공식적인 언어를 요구하시는 것처럼 기도한다. 그래서 잘 모르는 정부 관리와 이야기하는 것처럼 딱딱하게 말한다. 성경에서 읽거나 누군가의 멋진 기도문에서 들은 것을 취합해 나만의 성경적인 언어를 만들어 내기도 한다.

그러나 하나님은 그냥 편하게 말하라고 말씀하신다. 멋지게 말하려고 애쓸 필요가 없다. 절친한 친구에게 말하듯 있는 그대로 말하면 된다. 어떻게 들릴지 걱정하지 말고 그냥 솔직히 말하기만 하면 된다.

미사여구가 남발하는 대표 기도를 들어 본 적이 있는가? 그런 기도를 들으면 으레 우리는 '정말 멋진 표현이군. 언제 한번 내 기도에 꼭 써먹어야겠어'라고 생각한다. 그런 식으로 우리는 '인도하시는'이나 '영혼을 살찌우는' 같은 표현을 수집한다. 마치 특별한 표현이 영적 우위를 점하게 해 준다고 믿는 것 같다. 하지만 그것은 하나님의 언어가 아니다. 하나님은 진짜 우리에게서 날 것 그대로의 이야기를 듣기 원하신다.

우리가 외적으로 포장하는 모습은 우리 내면의 모습과 일치하지 않는다. 하나님이 요구하시는 건 정말 단순하다. '있는 모습 그대로 와라. 제발 치장하지 마라. 미사여구를 사용하지 마라. 포장하지 마라. 그냥 편하게 얘기해라. 네 진짜 모습을 보여라. 내 집이 곧 네 집이니 편하게 굴어라.'

우리는 가면을 쓰는 버릇이 워낙 몸에 깊이 배어, 좀처럼 예수님이 원하시는 진정하고도 친밀한 관계로 나아가지 못한다. 우리가 배우자에게 이런 식으로 포장된 모습만을 보인다고 상상해 보라. 아내는 남편 앞에서 항상 화장을 완벽하게 하고 가장 예쁜 옷을 입은 채로 있어야 한다고 생각한다. 남편도 절대 풀어진 모습을 보이지 말아야 한다고 생각한다. 두 사람은 마치 처음 만난 자리처럼 말실수라도 할까 조심조심 이야기한다. 이렇게 된다면 결혼생활이 얼마나 피곤하고 불만족스럽겠는가. 몇 주 만에 서로를 피해 어디론가 숨어 버리고 싶어질 것이다.

우리가 결혼생활에서 원하는 건 절대적인 편안함과 친밀함이다. 부부는 민낯을 드러내고 흉터를 숨기지 않고 마음속에 있는 것은 뭐든 털어놓을 수 있는 사이여야 한다. 그런데 왜 하나님께는 그렇게 다가가지 못하는가?

나의 끝에 이른다는 건 하나님 사랑이 무조건적인 것을 깨닫고 더는 내 흠을 숨길 필요성을 느끼지 못한다는 것이다. 그렇게 되면 훨씬 더 깊은 만족이 찾아온다. 일인이역을 하는 것보다 한 사람으로 살아가는 게 훨씬 편해서다. 거짓 정체성을 만들고 유지하는 건 정말 피곤한 일이다.

아내의 맨얼굴을 처음 봤을 때 우리 부부는 더 친밀해졌다. 아내가 처음으로 머리를 완전히 풀어헤쳤을 때 우리는 조금 더 편안해졌다. 그때부터 우리는 긴장을 풀고 속 이야기를 하기 시작했다. 그때가 진정한 관계가 시작된 출발점이었다.

가끔 한껏 차려입고 격식이 필요한 곳에서 데이트를 하는 것도 재미는 있다. 하지만 내 눈에 아내는 부스스하게 머리를 풀어헤친 채 청바지에 티셔츠를 입었을 때가 가장 아름답다. 그때 아내가 가장 편안한 상태에서 있는 모습 그대로 행동하기 때문이다.

예수님은 화장기 없는 관계를 원하신다. 우리가 불순물이 섞이지 않은 순수하고도 진실한 마음으로 다가오기를 원하신다.

▲▲ 거짓의 가면을 벗고 '진짜 나'로 대면하기

마태복음 23장 3절에서 예수님은 위선자들이 "말만 하고 행하지 아니하며"라고 말씀하셨다.

이번 주에 인터넷에서 〈페이킹 잇〉이라는 옛 텔레비전 오락 프로그램을 봤다. 이것은 출연자를 전혀 다른 사람으로 변신시키는 프로그램이었다. 예를 들어, 한 회에서는 LA에 사는 패트릭 네스빗이란 부유한 부동산 업자가 한 달 동안 훈련한 끝에 서부의 카우보이로 변신했다. 또 다른 참가자는 사람보다 책을 좋아하는 자칭 기인 레슬리 타운센드였다. 프로그램은 그녀를 활기 넘치는 NFL 치어리더로 변신시켰다. 동부의 작은 마을에서 온 목수 데이비드 도허티는 비벌리힐스의 인테리어 디자이너가 되었다.

출연자들은 각자의 역할을 완벽히 익힌 뒤에 실제로 그 분야에 종사하는 사람들과 나란히 섰다. 패널들은 이 중에서 가짜를 골라내야 했다. 누가 진짜 카우보이일까? 누가 진짜 치어리더일까? 누가 진짜 인테리어 디자이너일까? 패널들을 속이려고 애쓰는 모습이 재미있긴 했지만, 한편으론 출연자들의 분투를 지켜보는 것이 피곤하게 느껴지기도 했다.

이 프로그램을 보면서 실제로 이렇게 사는 사람이 얼마나 많은가 하는 생각을 했다. 자신이 아닌 다른 모습으로 보이기 위해 피곤하게 사는 사람이 얼마나 많은가. 이것은 불행한 삶이다. 남들에게 잘 보이기 위해 연기하고 자신을 포장하는 자들에게는 화가 있도다. 이들은 결국 지쳐서 스스로 무너지게 되어 있다.

누구를 욕하려는 게 아니다. 이는 무엇보다도 나에게 하는 말이다. 물론 작정하고 속이려는 사람은 별로 없다. 그러나 대부분의 사람들이 자신의 진짜 모습에 약간이라도 치장을 하고 살아간다. 내안의 모든 본능이 죄를 뒤에 감추고 아무런 문제도 없는 척 얼굴에 환한 미소를 띠라고 속삭인다. 하지만 나를 끝낸다는 건 이런 본능을 극복한다는 뜻이다. 그렇게 되면 진짜인 내가 그리스도 안에 있는 진짜 삶을 누릴 수 있다.

"만일 우리가 우리 죄를 자백하면 그는 미쁘시고 의로우사 우리 죄를 사하시며 우리를 모든 불의에서 깨끗하게 하실 것이요"(요일 1:9). 청결한 마음을 갖고 싶다면 불순물을 제거해야 한다. 그래서 하나님과 다른 이에게 진실해야 한다. 다행히 하나님이 우리를 깨끗하게 정화해 주겠다고 약속하셨다.

성경을 보면 청결한 손과 청결한 마음의 분명한 연관성을 확인할 수 있다. 예컨대 시편 24편 3-4절을 보라. "여호와의 산에 오를 자가 누구며 그의 거룩한 곳에 설 자가 누구인가 곧 손이 깨끗하며 마음이 청결하며 뜻을 허탄한 데에 두지 아니하며 거짓 맹세하지 아니하는 자로다." 야고보서 4장 8절도 보라. "하나님을 가까이하라 그리하면 너희를 가까이하시리라 죄인들아 손을 깨끗이 하라 두 마음을 품은 자들아 마음을 성결하게 하라."

구약에서 손을 씻는 것은 단순히 식전에 하는 일이 아니라 영적 정화의 상징이었다. 솔로몬은 하나님께 예배할 성전을 지을 때 성전 남쪽과 북쪽에 각각 다섯 개의 물두멍을 두었다. 사람들은 성전에 들어갈 때 마음을 씻는다는 의미로 이곳에서 손을 씻었다. 우리도 우리 삶 속에서 불순물과 거짓의 가면을 제거한 채 있는 모습 그대로 하나님 앞에 나아가야 할 것이다.

이번 장을 마치면서 좀 특별한 제안을 하고 싶다. 세면대에 가서 잠시 손을 씻어 보라. 불순물을 쓸어 손가락 사이로 사라지는 물을 바라보며 하나님께 당신의 마음도 씻어 달라고 기도하라. 더 진정성을 갖춰야 할 부분을 알려 달라고 요청하라. 외부는 우리 스스로도 깨끗이 씻을 수 있지만 내면은 하나님만 씻어 주실 수 있다.

성경은 마음이 청결해지면 가장 놀라운 복을 받는다고 약속한다. 그 복은 바로 하나님을 보는 것이다. 진짜 모습으로 진짜 하나님을 알게 된다. 성과와 허식에 따른 관계가 아니라 진정한 관계를 누리게 된다. 하나님을 보는 것보다 더 큰 복이 또 있을까? 내가 하나님을 진정으로 알고, 그분이 나를 진정 알아주시는 것. 바로 이것이 내 영혼이 참으로 갈망하는 것이다.

하나님이 성과와 상관없이 당신 자체를 보시고 당신도 그분을 보게 된다. 이보다 더 좋은 게 또 있을까?

나의   끝,

the end of me

예수 역사가
시작되는 곳

나의 비움,
채움의 시작

chapter 1

텅 빈 마음에
성령이
역사하신다

아주 안타까운 처지에 빠진 싱글맘에 관한 이야기를 읽은 적이 있다. 알다시피 많은 싱글맘들이 고된 일로 생계를 꾸리는데 그중에 존경하는 마음이 들게 만드는 이가 많다.

지금부터 소개하려는 싱글맘의 이야기는 특히 더 감동적이다. 이 여인은 싱글맘일 뿐 아니라 남편을 여읜 지 얼마 되지 않은 과부였다. 그녀의 남편은 온 동네 사람에게 존경을 받는 경건한 사람이었다. 하지만 안타깝게도 사랑하는 부인과 두 아들을 두고 세상을 떠나고 말았다. 더 안타까운 사실은 생명보험도 없이 산더미 같은 빚만 남기고 떠났다는 것이다.

두 아들은 아직 어린데 살아갈 길이 막막했다. 여인은 졸지에 극빈자로 전락했다. 빚은 도저히 감당할 수 없는 지경이었는데 그녀가 사는 곳에서는 빚쟁이들이 특히 더 지독하게 괴롭혔다. 빚을 갚지 못하면 두 아들이 노예로 팔려갈 게 불을 보듯 훤했다. 그 과부가 사는 곳에서는 그런 일이 흔하게 일어났다.

과부는 눈물이 마를 때까지 울부짖었다. 이제 절망밖에 남은 게 없었다. 자신의 끝에 이른 과부는 지푸라기라도 잡는 심정으로 목사를 찾아갔다. 남편이 생전에 이 목사의 사역을 도우면서 좋은 관계를 쌓았던 게 기억났기 때문이다.

과부는 눈물을 흘리며 목사에게 말했다. "목사님, 당장 길거리에 나앉게 생겼습니다. 모든 것을 잃고 이제 두 아이만 남았습니다. 당장 돈을 마련하지 못하면 집은 물론이고 이 녀석들마저도 잃게 됩니다. 이 아이들은 저와 영영 헤어져 노예로 살다가 죽고 말 겁니다. 저는 기껏해야 길거리에서 동전이나 구걸하며 구차한 목숨을 연명하게 될 거고요. 제 남편이 주님을 얼마나 사랑하고 섬겼는지 아시지요? 두 분은 오랫동안 함께 사역하셨잖아요. 설마 하나님이 저희를 버리시지는 않겠지요? 물론 목사님도 그렇고요."

그러자 목사는 안타까운 얼굴로 이렇게 말했다. "이렇게 힘드신 줄은 미처 몰랐습니다. 그래, 뭐가 남았습니까?"

그 말에 여인은 황당한 표정을 지었다. '설마? 벼룩의 간을 빼 먹으려는 건가?' "아무것도요. 말씀드렸잖아요. 아무것도 남지 않았다고." 여인은 다시 닭똥 같은 눈물을 흘리기 시작했다.

"작은 집밖에 아무것도 남지 않았다고요?"

"예, 전부 팔아 버렸어요. 집에는 추억만 가득해요. 참, 선반 위에 작은 올리브기름 병이 하나 있기는 할 거예요. 하지만 그것으로 뭘 어쩌겠어요?"

'엘리사'라는 이름의 이 목사는 가서 집집마다 돌며 빈 병이 있으면 빌려 오라고 말했다. 그러고 나서 그 병들을 바닥에 놓고 거기에 기름을 부으라고 지시했다.

"이게 무슨 소용이 있을까요?"

여인이 묻자 목사는 빙긋 미소를 지었다.

"믿음을 가져 봅시다."

몇 시간 뒤 집안은 병으로 가득 찼다. 이제 여인은 작은 기름병 안에 있는 기름을 빈 병에 붓기 시작했다. 그런데 이럴 수가! 그 작은 병에서 기름이 끊임없이 나오는 게 아닌가. 마지막 기름 한 방울이 떨어지면서 마지막 병이 넘치도록 찼다. 어머니와 두 아들은 부둥켜안고 기쁨의 눈물을 흘렸다.

"자, 이제 어서 가서 기름을 파세요. 그 정도면 빚을 갚고도 당분간 걱정 없이 살 수 있을 거예요." 엘리사는 과부에게 말했다.

▲▲ 당신의 병에는 무엇이 들어 있는가

열왕기하 4장에 기록된 이 이야기는 하나님이 빈 공간을 채워 주길 좋아하신다는 사실을 일깨워 준다. 기름이 빈 병이든 희망이 빈 삶이든 하나님은 넘치도록 채워 주길 원하신다. 병은 꽉 차라고 만들어진 것이다. 물론 병 스스로 채워지는 게 아니라 누군가가 채워 주어야 한다. 당신과 나도 마찬가지다. 그런데 우리가 얼마나 채워지느냐는 얼마나 비어 있느냐에 정비례한다.

이번 장을 읽는 독자 중에는 자신의 끝, 즉 모든 것을 비운 자리에 이른 사람이 분명 있을 것이다. 당신이 바로 그런 경우인가? 그렇다면 필시 그것이 당신이 바랐던 상황은 아니었을 것이다. 인생은 우리가 꼭 움켜쥔 것을 원치 않게 놓게 만든다. 예컨대, 삶은 우리가 사랑하는 사람을 앗아간다. 집과 일자리도 거둬 간다. 피부 아래로 파고들어가 우리의 건강과 희망을 훔쳐가기도 한다. 살다 보면 손에 아무것도 남지 않은 것 같은 절망감을 느낄 때가 있다.

그럴 때 원치 않는 감정이 성난 파도처럼 밀려온다. 두려움과 외로움, 분노 같은 감정. 무엇보다 최악의 감정은 텅 빈 느낌 자체다. 인생이 끝난 것만 같은 이 기분을 '절망'이라고 부른다. 하지만 그렇게 텅 빈 상태야말로 하나님이 원하시는 상태라면?

작게 반짝이는 진실 하나를 볼 수 있다면 전혀 다른 감정을 느끼게 되리라. 텅 빈 순간은 폭풍전야다. 그 순간이야말로 인생에서 가장 놀라운 일이 벌어지기 직전이다. 우리에게 상상도 못했던 복을 주시기 위해 빈틈없는 계획을 세워 놓고 계신 하늘 아버지와의 친밀한 만남. 이보다 더 놀라운 일이 또 있을까?

삶이 앗아갈 때, 하나님은 주신다. 하나님의 놀라운 사랑이라는 부드러운 기름이 깨진 삶의 욱신거리는 구멍 속으로 스며든다. 그때부터 '제2의 인생'이 시작된다.

그런가 하면 이미 꽉 차서 흘러넘치는 병들도 너무나 많다. 삶이 가져다준 좋은 것들을 다 담을 수 없어 넘치는 사람들, 매일 산해진미로 상다리가 부러지게 먹고 나서 기분 좋게 부른 배를 두드리며 행복을 노래하는 사람들. 하지만 그렇게 꽉 찬 상태가 하나님의 복을 받는 데는 치명적이라면? 좋은 직장과 행복한 가정, 넓은 인간관계 자체는 전혀 잘못된 게 아니다. 단지 그것들이 궁극적으로 중요한 것일까? 그것이 10년, 20년 뒤에도 여전할까? 그런 삶 속에서는 하나님과의 대화가 얼마나 자주 이루어질까?

이제 꽉 찬 병과 채워지는 병의 차이점을 논해 보자.

▲▲ 빈 곳을 채워 주길 기뻐하시는 분

하나님은 빈 공간을 채우시는 분이며, 예수님은 그것이 무슨 의미인지를 삶으로 보여 주셨다. 요한복음 2장에 기록된 예수님의 첫 번째 공개적인 기적은 물을 포도주로 변하게 하신 것이었다. 장소는 결혼식 잔치가 벌어지는 곳이었다. 평생에 한 번뿐인 잔치이니 얼마나 꼼꼼히 준비했겠는가. 하지만 잔치를 총괄하는 사람은 포도주가 벌써 떨어졌다는 보고를 받는다. 당시 문화에서 잔칫집에 술이 떨어지는 것은 굉장히 큰 실례였다.

그 시대의 결혼식은 요즘처럼 몇 시간 만에 끝나는 행사가 아니었다. 결혼식은 7일간의 잔치로 치러졌고, 그동안 포도주가 절대 떨어져서는 안 되었다. 포도주가 떨어지면 혼주들은 온 동네의 웃음거리가 되었다. 이번에도 빈 병이 등장한다. 예수님은 항아리 여섯 통에 물을 꽉 채우라고 지시하신 다음 그 물을 모두 포도주로 바꾸셨다. 특히 요한은 예수님이 그냥 포도주가 아니라 최고급 포도주로 항아리를 가득 채우셨다고 강조한다. 덕분에 신랑은 나중을 위해 가장 좋은 술을 아껴 두었다는 칭찬을 듣는다. 이런 행사에서는 보기 드문 일이었다. 예수님은 빈 공간을 기쁨과 풍요로 채워 주셨다.

요한복음 4장에서 예수님은 우물가의 여인을 만나 그녀의 텅 빈 삶을 채워 주셨다. 요한복음 6장에서는 수많은 인파의 꼬르륵거리는 배를 풍족하게 채워 주셨다. 딸의 죽음으로 텅 빈 야이로의 집에서는 부활의 기적으로 온 집에 기쁨을 채우셨다. 간음 현장에서 잡힌 여인을 구해 주신 일도 있었다. 덕분에 그녀의 텅 빈 삶은 한 번도 느껴 보지 못했던 소망으로 가득 찼다. 사실, 사복음서 전체가 결국 빈 공간을 채워 주시는 예수님에 관한 이야기다.

물론 텅 빈 채로 떠나가는 인물도 만나 볼 수 있다. 예를 들어, 부자 청년의 삶은 돈으로 꽉 차 있어서 예수님이 채우실 만한 공간이 남아 있지 않았다. 바리새인은 예수님의 가르침에 유심히 귀를 기울였지만 그들 삶 속에는 율법과 의식, 개념이 요지부동으로 꽉 들어차 있었다. 비우는 과정에는 고통이 따른다. 그래서 누구나 비우기를 원하는 건 아니다. 예수님은 얼마든지 채워 주길 원하시지만 다른 누군가가 공간을 만들어 내야 한다.

누가복음 14장은 큰 잔치에 관한 비유를 전하고 있다. 예수님이 그 비유를 전하실 때는 종교 지도자들과 식사를 하시던 중이었다. 예수님은 그렇게 종교 지도자들과 식사를 하곤 하셨는데 거의 매번 흥미로운, 아니 곤혹스러운 상황이 벌어졌다. 이번에도 왠지 일이 터질 것만 같았다.

아니나 다를까, 식사 도중에 한 병자가 들어온다. 부종 환자다. 그의 온몸은 과도한 액체로 가득 차 있다. 반면, 그의 건강은 빈 병 상태다. 당연히 예수님은 그 병을 채워 그를 치유해 주신다.

환호성이 터져 나와야 마땅한 순간이다. 기쁨의 눈물과 웃음소리가 장내에 가득해야 했다. 하지만 성경을 가만히 보니 처음부터 바리새인은 조그만 꼬투리라도 잡으려고 예수님을 "엿보고" 있었다. 생각 같아선 예수님이 은그릇이라도 훔치기를 바랐을 것이다. 그래서 놀라운 기적에도 불구하고 환호성은커녕 싸늘한 침묵만 흐른다.

이윽고 예수님이 그들에게 '안식일'에 이뤄진 이 치유에 관해서 어떻게 생각하느냐고 물으신다. 물론 예수님은 그들의 생각을 이미 훤히 아신다. 그들은 꿀 먹은 벙어리처럼 예수님을 쳐다만 보고 있다. 그 순간, 필시 장내의 공기가 10도는 떨어졌을 것이다. 물론 바리새인이라면 내일 다시 오라며 그 환자를 분명 돌려보냈을 것이다. 하나님은 쉬는 날 귀찮게 하는 걸 정말 싫어하시니까.

이 믿음의 전문가들은 왜 이 기적을 보고도 자신들의 선입관을 진지하게 되돌아보지 않았을까? 한눈에 봐도 예수님의 방식은 놀라운 일을 일으키는 반면 그들의 방식은 사람들을 바짝 조이는 감시관 같다는 점이 분명하지 않은가. 그것은 바리새인에게 빈 공간이 없었기 때문이다. 그들의 마음속에는 자신만의 관념이 꽉 차 있었다. 그 관념으로 보면 예수님의 행동은 철저히 잘못된 것이었다. 그래서 예수님이 무엇을 가르치고 누구를 고치든 그들에게 그분은 율법을 대놓고 어기는 공공의 적에 불과했다.

그 옛날 바리새인만 그랬다고 말할 수 있으면 좋으련만. 오늘날 빈 병도 많지만 무엇도 받지 않으려는 사람들도 그에 못지않게 많다. 그들은 예수님이 주시려는 것에는 관심조차 없다. 그들은 오히려 자신들이 주려고 한다. 물론 그들이 주는 건 섬김이나 사랑, 연민이 아니라 비판이다. 그들은 자신의 생각을 준다. 슬픔을 준다. 그리고 사람들은 여러 가지 이유로 그들의 식탁에 찾아온다.

바리새인은 예수님과 나란히 앉아 천국이 이 땅에 임하는 광경을 목격했다. 그들은 육신을 입으신 하나님을 봤다. 그들은 놀라운 가르침을 들었고 예수님이 가벼운 접촉 한 번으로 끔찍한 병마를 쫓아내는 모습을 보았다. 그것도 바로 코앞에서. 이만하면 사람이 달라질 만도 하건만.

그러나 바리새인의 눈에는 오직 한 가지 사실밖에 보이지 않았다. 예수님이 날을 잘못 골라 사람을 치유하셨다는 사실. 오늘이 '하나님'의 날이라는 걸 모른단 말인가? 병자가 하룻밤만 고생하게 놔두면 될 것을.

예수님이 또다시 귀에 거슬리는 질문을 던지신다. 이제 바리새인의 이 가는 소리가 귀에 들릴 정도다. "그냥 궁금해서 묻는 건데, 만약 너희 아들이나 소가 안식일에 우물에 빠지면 어떻게 하겠느냐?"(눅 14:5 참조)

예수님은 이미 답을 알고 계신다. 그런 상황이라면 그들도 더는 법을 따지지 않을 것이다. 바리새인은 아무런 대꾸도 하지 못한다.

하지만 표정을 보아하니 살인이라도 저지를 기세다.

예수님은 이럴 줄 이미 알고 계셨다. 하나님의 능력과 긍휼을 보여 주면 자기 의에 빠진 자들의 심기를 건드리게 되어 있다. 그래서 예수님은 또다시 채워 주신다. 이번에는 이야기로 그들의 귀를 채우신다. 물론 그 이야기가 한 귀로 들어갔다가 한 귀로 나올 줄 뻔히 아셨겠지만.

▲▲ 곧 큰 잔치가 시작된다!

이 잔칫집에서 예수님은 더 크고 좋은 잔치에 관한 이야기를 해 주신다. 성경에서 잔치는 단순한 식사 이상이라는 점을 알아야 한다. 잔치는 하나님이 사람들의 가장 깊은 필요를 채워 주시는 것을 의미한다. 몇몇 비유에서 잔치 이야기가 등장하는 것은 그 상징이 지극히 분명하기 때문이다. 그냥 음식이 아니라 '아주 좋은' 음식으로 사람들을 먹이시는 주인. 누가 봐도 그것은 하나님을 상징하는 이미지다.

오늘날에는 자주 잔치가 열리고, 잔칫집마다 온갖 귀한 음식을 정성껏 차려낸다. 하지만 예수님 당시에는 좋은 음식을 배불리 먹는 게 흔한 일이 아니었다. 웬만큼 부유한 사람도 날마다 좋은 음식을 먹지 못하는 시대였다. 그래서 음식 얘기만 나오면 사람들의 눈이 번쩍 뜨였기 때문에 예수님은 잔치의 비유를 자주 사용하신 것이다.

잔치 비유를 들을 때 당시 사람들은 예로부터 내려온 잔치인 유월절 만찬을 떠올렸을지도 모른다. 우리는 이 비유를 들을 때 최후의 만찬, 혹은 요한계시록에 기록된 어린 양의 혼인 잔치를 떠올린다.

하나님은 우리를 먹이시는 분, 우리를 채우시는 분이다. "오늘 우리에게 일용할 양식을 주시옵고." 이것은 누구나 다 아는 기본이다. 그래서 예수님은 큰 잔치에 관한 비유를 사용하셨다(눅 14:16-24 참조).

어떤 사람이 큰 잔치를 열고 초대장을 보낸다. 이미 상을 차리고 아궁이마다 불을 피운 상태다. 그가 종을 보내 초청객들에게 "저녁이 준비되었다"라고 알린다. 하지만 아무도 올 생각을 하지 않는다. 한 사람은 밭을 살펴봐야 한다는 핑계를 댄다. 두 번째 사람은 방금 소를 사서 시험하러 나가야 한다고 말한다. 세 번째 사람은 막 결혼해서 갈 수 없다고 말한다.

주인은 이런 핑계가 마음에 들지 않는다. 아니, 속에서 뜨거운 게 올라온다. 생각 같아선 상을 다 엎어 버리고 싶다. 하지만 애써 차린 상이 아까워서 그럴 수도 없다. 그래서 종에게 온 마을을 돌아다니고 필요하다면 뒷골목까지 뒤져 병자든 빈민이든 상관없이 다 데리고 오라고 명령한다.

그렇게까지 해서 자리를 채웠건만 여전히 군데군데 빈자리가 보인다. 하지만 주인은 자리가 빈 꼴을 절대 보지 못한다. "더 멀리까지 가라. 서둘러라. 음식이 이미 식고 있다. 도시 밖으로 나가 봐라. 필요하다면 숲 속까지 뒤져라. 어서 빨리 잔치를 열자."

그러고 나서 맹세를 한다. "내 초대를 거절한 놈들은 국물도 없을 줄 알아!"

예수님의 비유를 듣는 청중의 입장에서 가장 재미있는 부분은 각 등장인물이 누구를 의미하는지 알아내는 것이다. 어떤 비유들은 매우 단순하고 보편적이다. 하지만 이번 비유처럼 특정한 사람을 구체적으로 빗댄 비유도 있다.

하나님은 주로 왕이나 집주인, 사업체 소유주로 등장한다. 하나같이 나름대로 힘을 지닌 존재들이다. 하지만 이 이야기에서는 종에게도 관심을 가져야 한다. 그렇다. 이 종은 바로 예수님이시다.

하나님은 우리를 그분의 나라, 그분의 삶이라고 하는 큰 잔치로 초대하기 위해 예수님을 보내셨다. 사실, 마태복음의 비슷한 비유에서 이 종은 사람들을 초대하러 갔다가 결국 그들에게 살해를 당한다. 이로써 이 종의 의미가 더없이 분명해진다. 결국 이것은 비유인 동시에 예언이었던 셈이다.

잔치에 초대된 사람들은 누구일까? 그들은 하나님의 백성이다. 하지만 그들은 자기 일에 너무 바빠서 시간을 낼 수 없었다. 물론 초대 자체를 싫어한 것으로 보이지는 않는다. 다만 다른 용무가 있었을 뿐이다. 사실, 그들 모두는 정중하게 양해를 구했다. 그렇다면 '나중에라도 시간이 나면 들러야지'라고 생각했을지 모른다. 잔칫집에 가고 싶은 마음은 굴뚝같지만 생존경쟁에 바빠 도무지 시간을 낼 수 없었다. 그들의 변명을 봤는가? 거울 속 자신의 모습을 보는 것 같지 않던가?

▲▲ 신상품으로 채워지지 않는 마음

첫 번째 초청객은 밭을 샀다. 그래서 잔치보다 새 밭에 온통 정신이 가 있었다. 여기서 예수님은 개인적인 소유물을 말씀하신 것이다. 자신이 물건을 소유했다고 생각하지만 오히려 물건에 소유를 당하고 있는 사람이 참 많다. 예를 들어, 교회나 성경공부 모임에서 갑자기 사라진 사람을 몇 달 만에 쇼핑몰에서 만나곤 한다. "얼마 전에 집을 사서요. 집을 꾸며야 해서 도통 시간이 안 나네요. 걱정하지 마세요. 집 정리만 마치면 곧바로 돌아갈게요." 그들은 마치 하나님이 당장은 필요하지 않은 것처럼 말한다. 그들은 집이 자신들의 공허함을 채워 주리라 믿는다.

최근에 텔레비전 광고를 유심히 살펴보다가 광고들이 하나같이 인간의 빈 공간을 공략해서 물건이나 서비스를 판다는 것을 알아챘다. 다시 말해, 광고 회사들은 당신과 내 삶 속에서 중요한 뭔가가 빠져 있다는 전제로 시작한다. 물론 그 전제 자체는 옳다. 하지만 그 회사들은 이 차가 그 공백을 메워 줄 수 있다고 주장한다. 믿지 못하겠는가? 적색 하늘을 배경으로 산악도로를 달리는 저 남자의 만족스러운 표정을 보라!

당신이 작년에 산 휴대폰? 겨우 전화만 되는 구닥다리다. 그런데 '이 전화기'는 전화에다 인터넷과 게임까지 안 되는 게 없다. 당장 사지 않으면 큰일이 날 것만 같다.

빈 공간에 대한 가정은 소비주의 경제를 돌아가게 만드는 연료다. 소비주의 문화 속에 사는 우리는 상품과 서비스의 소비가 개인적인 만족의 열쇠라는 관념에 빠져들었다. 쉽게 말하면 이렇다. 오늘 기분이 좀 꿀꿀하다면 좀 더 소비를 해야 한다. 늦은 밤에 침대에 누웠는데 느닷없이 공허함이 밀려온다. 그것은 누군가가 당신이 아직 가지지 못한 새로운 것을 갖고 있다는 인생의 속삭임이다. 인생은 물건들의 끝없는 업그레이드다.

지난 성탄절이나 생일에 직접 촬영한 비디오를 보라. 선물 포장을 열며 해맑게 웃는 당신의 얼굴이 보인다. 하지만 문득 화면 속의 '물건들'을 보는 순간, 당신도 모르게 인상이 찌푸려진다. '내가 정말로 저런 후진 셔츠를 입었던가? 저 촌스러운 주방 기기들은 다 뭐야? 저런, 저때는 저 보석이 왜 그렇게 사고 싶었는지. 지금은 그저 상자 안에 고이 모셔 두고 있는 것을.'

그렇다. 지금은 그렇게 탐나는 물건도 얼마 지나고 나면 거들떠보지도 않게 될 것이다. 하지만 우리는 중독되었다. 인터넷 덕분에 이제는 꼭두새벽에도 클릭 몇 번으로 필요하지도 않은 물건을 있지도 않은 돈으로 살 수 있다. 우리 인생은 끝없이 검색하고 군침을 흘리는 것으로 전락했다. 사냥하고 모으고. 우리는 잠시라도 멈추면 또다시 공허해질까 두려워 소비의 질주를 멈추지 못한다.

지금 나는 비행기 안에 있다. 그런데 이번 장을 쓰는 내내 비행기에 비치된 쇼핑 잡지가 내게 손짓을 하고 있다. 결국 잠시 머리를 식힐 겸 잡지를 뒤적여 봤다. 잠깐만 보려고 했는데 거의 페이지마다 제품 선전으로 도배가 되어 있는 잡지를 독파하려니 시간이 꽤 걸린다. 보다 보니 지구 상에 있는 줄도 몰랐던 제품이 이제는 내 인생에 절대적으로 필요한 제품으로 보이기 시작한다. 나도 모르게 꼭 사야 할 제품에 표시를 했다. 이를테면 다음과 같은 것들이다.

평온하게 깨워 주는 알람시계. 이것은 평범한 알람시계가 아니다. 이 잡지에 따르면 "이 시계는 무드등과 은은한 향기가 점점 강해진다." 이 시계는 소음만 내는 게 아니라 좋은 향기와 점점 밝아지는 빛으로 당신을 깨운다.

아이패드용 아케이드 게임. 내가 어릴 적에 좋아하던 것과 지금 좋아하는 것이 처음 하나로 만났다. 1985년과 2015년이 결혼해서 아기를 낳았다고나 할까.

자동으로 내려가는 변기 시트. 용변이 끝났는지 어떻게 아는지는 모르겠지만 안다고 한다. 용변이 끝나면 30초 뒤에 자동으로 변기 시트가 내려간다. 스마트하고 배려 깊고 위생적인 좌변기. 이 정도면 노벨 평화상이라도 줘야 하는 것 아닌가? 이 좌변기가 얼마나 많은 가정을 구해 줄지 생각해 보라.

인간이 상상할 수 있는 제품에는 끝이 없다. 우리는 최신 제품을 사려고 계속해서 빚의 굴레 속으로 빠져든다. 그런데도 왜 여전히 공허할까? 벽장과 지하실까지 저장 공간이 꽉 차 있는데도 여전히 뭔가 부족한 느낌이다. 이것은 마치 배부른 한 끼 식사와도 같다. 처음에는 배가 부르지만 그 느낌은 그리 오래가지 않는다. 때가 되면 다음 식사, 다음 구매가 필요해진다. 한마디로, 만족은 잠시뿐이다.

우리는 채울 수 없는 것으로 영혼의 구멍을 채우려고 하고 있다.

마더 테레사가 뭐라고 했던가.

> 서구 사회의 영적 빈곤은 콜카타 주민들의 육체적 빈곤보다 훨씬
> 더 심하다. 서구에는 뼈에 사무치는 외로움과 공허함에 시달리는
> 사람이 수백만이다. …… 이들은 육체가 아닌 다른 측면에서
> 굶주려 있다. 그들은 돈 이상의 뭔가가 필요하다는 것을 느끼지만
> 그것이 무엇인지는 모른다. 그들에게 빠진 것은 다름 아닌
> 하나님과의 살아 있는 관계다.[1]

하나님의 잔치는 단순히 한 끼의 영양식이 아니다. 우리는 이 사실을 부인하지는 않는다. 우리는 이 점을 분명히 알고 믿는다. 다만 소비하느라 바빠 잔칫상에 앉을 여유가 없을 뿐이다. 심지어 잔칫상에 앉은 뒤에도 음식이 아닌 접시와 장식품에 한눈을 팔며 어느 회사 제품인지를 확인한다.

▲▲ 바쁨으로 공허를 채우다

이 이야기에서 두 번째 초청객은 새로 산 소 핑계를 댄다. 그도 단순히 소비자의 한 명이라고 생각했는가? 그렇지 않다. '소'라는 말에서 우리는 그가 일, 책임감, 바쁨과 관계 있음을 알아채야 한다. 그는 다섯 쌍의 소로 많은 일을 할 생각이다. 어서 나가서 밭을 갈 생

각으로 머릿속이 꽉 차 있다.

2012년 〈뉴욕 타임스〉 지에 실린 "바쁨이라는 함정"이라는 글은 큰 반향을 일으켰다. 이 글의 요지는 사람들에게 "어떻게 지내세요?"라고 물으면 백이면 백 "바빠요!"나 "너무 바빠요!" 혹은 "바빠서 미칠 것 같아요!"라는 대답이 돌아온다는 것이다. 이것은 불평을 가장한 자랑이다. 은연중에 우리는 삶에 여유가 얼마나 없느냐에 따라 서열을 매긴다. 계속해서 이 글은 이렇게 말한다.

> 바쁨은 공허함을 막아 주는 일종의 울타리 역할을 해 준다. 너무 바빠서, 일정이 꽉 차서, 단 1분도 앉아 있을 틈이 없다면, 당신의 삶은 하찮거나 무의미하지 않다. …… 우리는 자신의 야망이나 욕구, 걱정 때문에 바쁘게 움직인다. 우리는 바쁨에 중독되었다. 그래서 바쁘지 않으면 어떻게 될까 봐 두려워한다.[2]

그렇다. 바쁨이 공허함의 침입을 막기 위한 우리의 울타리다. 우리 안의 구멍은 삶이라는 기계를 미친 듯이 돌리는 연료다. 일만 그런 게 아니다. 오락거리도 수많은 시간을 잡아먹는다. 컴퓨터가 우리의 가장 친한 친구가 될 수 있다.

현대인들이 텔레비전을 보는 시간은 1년에 약 천 시간이라고 한다.[3] 그렇다면 65세가 되면 거의 10년 동안 텔레비전을 본 셈이다. 우리 세대 혹은 이후 세대의 상황은 더 심각하다. 하루 중에 다섯 시간 가까이 컴퓨터나 스마트폰, 태블릿 등으로 온라인 활동을 하니 말이다. 이런 식으로라면 평생 14년 동안 인터넷에 접속되어 있는 셈이다. 여기다 텔레비전을 보는 시간까지 더하면 사람의 일생을 100세라고 봤을 때 거의 4분의 1을 스크린 앞에 앉아 있는 게 된다. 왠지형량 구형처럼 들리지 않는가? 하지만 공허함에 시달리는 삶도 감옥 같기는 마찬가지다.

IDC(International Data Corporation)가 조사한 바에 따르면, 스마트폰 사용자의 무려 80퍼센트가 아침에 눈을 떠서 15분 안에 전화기를 확인한다고 한다. 어떤 사람들은 마치 틱 장애에 걸린 사람처럼 하루종일 전화기를 확인한다.

〈뉴욕 타임스〉는 "화장실 문자 족의 등장"이란 사설을 실었다.[4] 내용인 즉, 미국인 네 명 중 한 명이 화장실에 갈 때마다 반드시 휴대폰을 들고 간다는 것이다. 보통 심각한 상황이 아니다.

이 모두는 바빠서 정신 없는 삶, 일정이 꽉 차서 큰 잔치에 갈 시간을 도저히 낼 수 없는 삶의 증상이다. 가장 큰 비극은 사람들이 무엇을 놓쳤는지 전혀 모른다는 것이다. 세상의 속도를 따라 아무 생각 없이 바삐 달려가느라, 그들을 사랑하시는 하나님에게서 점점 더멀어지고 있는 현실이 너무도 안타깝다.

▲▲ 사람으로 채워지지 않는 인생

초대를 거절한 세 번째 사람은 비난하기가 쉽지 않다. 오히려 등을 두들겨 주며 축하해 주고 싶은 심정이다. "좋은 자리에 초대해 주셔서 감사하지만 저희는 방금 신혼여행에서 돌아왔습니다. 짐도 풀어야 하고 양가에 인사도 다녀와야 하고. 아무튼 할 일이 한두 가지가 아닙니다. 그러니 이해해 주십시오. 다음번 잔치에는 꼭 참석하겠습니다."

이 사람은 요즘 사회학자들이 말하는 '누에고치화'(cocooning)의 전형이다. 1990년대 트렌드 예측가 페이스 팝콘이 처음 사용한 이 용어는 기본적으로 이런 뜻이다. '사람들과 부대끼는 데 지쳤다. 이제 우리 가족만의 안락한 보금자리로 들어가련다. 운동장만한 텔레비전을 장만해 놓고 집에 틀어박혀 살련다. 북적대는 세상에서 벗어나 가족들하고만 오붓하게 살고 싶다.'

지금까지 얼마나 많은 사랑 노래를 들었는가? 얼마나 많은 로맨스 영화를 봤는가? 그 모든 노래와 영화의 메시지는 아주 간단하다. 짝만 제대로 만나면 공허함이 채워진다는 것이다. 이제 그 메시지가 우리 안에 깊이 각인되어 버렸다. '너를 만나서 내 삶이 완전해졌어.'

이런 관념으로 인해 사람들은 허황된 기대를 안고 이성을 사귀고 결혼을 한다. 같은 인간이 남은 평생 나를 채워 줄 거라는 환상. 이 환상이 상대방에게 얼마나 큰 짐을 지우는지 생각해 보라. 남녀의 사랑은 하나님이 주신 놀라운 선물 가운데 하나다. 하지만 가장 큰 선물은 아니다. 오직 하나의 관계만이 우리를 영원히 채워 줄 수 있다.

게리 토머스가 쓴 《연애학교》(The Sacred Search, CUP 역간)는 결혼을 모래시계에 빗댄다. 모래시계 안에서 모래는 천천히, 꾸준히 아래로 내려간다. 처음에는 약혼자가 완벽한 것만 같다. 하지만 결혼하는 순간, 모래시계가 뒤집어진다. 12-18개월이 지나면 불만의 감정이 싹트기 시작한다. 위에 꽉 차 있던 모래가 점점 떨어져 결국 마지막 한 알까지 바닥을 친다. 감정이란 본래 그런 것이다.[5]

그때 우리는 배우자나 자기 자신이 뭐가 문제인지 고민하기 시작한다. 사랑의 열병은 다 어디로 갔는가? 내가 어떻게 저런 사람한테 홀딱 반했지? 혹시 꽉 찬 모래시계를 든 사람이 어딘가에 있는 건 아닐까? 내 텅 빈 공간을 채워 줄 사람이 따로 있는 걸까? 우리가 이런 의문과 씨름하고 있을 때 순간 한 가지 생각이 머릿속에서 번쩍인다. 마치 누군가가 속삭이는 듯하다. '잔칫집으로 와라. 그냥 몸만 와.'

하지만 아무래도 망설여진다. '지금은 아니야. 처리해야 할 일이 너무 많아. 다음번 잔치에는 꼭 참석해야지.'

물건. 활동. 연애. 당신이 초청을 거절하는 이유는 뭔가? 당신 삶속에서 하나님의 자리를 무엇이 대신 차지하고 있는가?

▲▲ 성령 충만을 위해 기도하라

큰 잔치는 하나님이 자녀들을 먹이고 채워 주시는 것을 의미하는 비유다. 하나님은 우리의 기본적인 필요를 채워 주신다. 하지만 또 다른 종류의 채움이 있다. 좀 더 즉각적이고도 직접적인 채움이다.

예수님은 하늘로 오르기 전에 제자들에게 그들을 안에서부터 변화시킬 사건에 관해 말씀하셨다. 그것은 바로 성령이 그들의 삶 속으로 들어오신 사건이다. 예수님은 우리가 성령으로 가득 '찰' 것이라고 말씀하셨다. 우리가 예수 그리스도의 제자가 되면, 그 즉시 성령이 우리 삶 속에 들어오신다. 우리는 성령 충만을 위해 기도해야 한다. 성령 충만이란, 그분에게 온전히 협력함으로 그분이 우리를 통해 하고자 하시는 일을 온전히 이루는 것을 의미한다.

성령은 우리 안에 계셔서 우리가 어디를 가나 함께하신다. 성령은 우리가 하나님의 일을 할 수 있도록 특별한 은사를 주신다. 우리를 상담하고 위로하신다. 그분은 매일매일 우리를 그리스도의 형상으로 변화시켜 주신다. 우리가 우리 자신의 낡은 방식에서 벗어나 예수님처럼 생각하고 행동하는 작은 순간 하나하나가 바로 그분의 변화시키는 역사가 일어나는 순간이다. 그분으로 충만해지면 진정으로 온전한 삶이 무엇인지 알기 시작한다.

사도행전을 보면 제자들은 우왕좌왕하는 오합지졸에서 온 세상을 뒤흔드는 신실한 혁명가들의 역동적인 공동체로 변해 간다. 이제 성령으로 충만해진 그들은 새로운 사람이 되어 있었다. 그래서 사도행전이 아니라 성령행전이라고 해야 옳다고 말하는 이들도 있다.

바울은 에베소 교회 교인들에게 보내는 편지에서 이렇게 말했다. "술 취하지 말라 …… 오직 성령으로 충만함을 받으라"(엡 5:18). 취기와 영성은 전혀 어울리지 않는 짝이다. 아무리 생각해도 사이좋

게 한 구절에 나란히 등장할 만한 단어가 아니다. 하지만 둘 다 고무시킨다는 공통점이 있다. 술이 일으키는 흥분을 좋아하지 마라. 하나님은 그분의 영으로 우리를 채우고 영감을 주길 원하신다. 위로가 필요한가? 술을 퍼붓지 마라. 용기가 필요한가? 술기운을 빌리지 마라. 성령이 용기를 주실 것이다! 예수님이 붙잡히시던 날, 제자들은 겁에 질려 사방으로 도망쳤다. 하지만 성령이 임하시자 온갖 위험에 담대하게 맞섰다.

스트레스를 풀기 위해 술을 마시는가? 성령의 열매 중에 하나님의 평안이 포함되어 있다는 것을 잊었는가? 여기에 사랑과 희락, 화평, 오래 참음, 자비, 양선, 충성, 온유, 절제까지 함께 찾아온다. 반면 이 세상이 주는 모든 것은 우리 안을 충분히 채우지 못한다. 게다가 결국 뒷맛은 하나같이 쓰디쓰다. 하지만 성령 안에서의 삶은 차원이 다르다.

에베소서 5장 18절에서 성령으로 충만하라고 명령할 때 바울은 현재시제, 수동태, 명령형 동사를 사용했다. 좀 복잡한 문법이긴 하지만 어쨌든 들어 보라. 일단, 명령법이다. 선택사항이 아니라 명령이라는 뜻이다. 특정 교단이나 원하는 사람에게만 주시는 말씀이 아니다. 우리 모두는 성령으로 충만함을 받으라는 명령을 받았다. 그러니 명령에 복종하라. 또한 동사의 시제로 볼 때 이것은 한 차례의 사건이 아니다. 이것은 숨을 쉬고 밥을 먹는 것처럼 계속 해야 하는 일이다. 삶이 우리를 짓누르면 다시금 성령으로 충만함을 받으라. 그러면 새 힘이 솟아날 것이다. 수동태는 우리 스스로 하는 것이 아

님을 시사한다. 기억나는가? 병은 스스로 채울 수 없다. 다른 누군가
가 채워 줘야 한다.

그렇다면 우리가 어떻게 해야 영원히 마르지 않는 거룩한 기름
을 받을 수 있을까? 우리 자신을 비워야 한다. 이것은 우리가 할 수
있는 일이다. '주님, 제 안의 쓸모없는 것들을 남김없이 비우고 당신
의 영으로 가득 채워 주십시오.' 날마다 그렇게 기도하면 된다.

19세기 부흥사 D. L. 무디는 다음과 같이 말했다.

> 나는 우리 마음에서 하나님의 법에 반하는 교만과 이기심,
> 이기적인 야망 같은 것이 모조리 비워지는 순간 성령이 들어와
> 우리 마음을 구석구석 가득 채우신다고 굳게 믿는다. 계속해서
> 교만과 자만, 이기심, 쾌락, 세상이 꽉 들어차 있으면 하나님의
> 영이 들어오실 여지가 없다. 다른 것으로 꽉 차 있으면서 하나님께
> 자신을 채워 달라고 기도하는 사람이 많다. 그런 기도를 드리기에
> 앞서 먼저 자신을 비워 달라는 기도를 드려야 한다. 먼저 비움이
> 있어야 채움이 가능하다. 마음을 뒤집어 하나님께 반하는 모든
> 것을 쏟아내면 그때 비로소 성령이 들어오신다.[6]

다시 큰 잔치 이야기로 돌아가서, 종이 주인에게 너무 바쁜 사람
에 관한 안타까운 소식을 전한다. 배가 꽉 차서 아무리 산해진미라
해도 흥미를 느끼지 못하는 사람들. 그러자 주인은 이렇게 말한다.
"나는 자리가 꽉 차는 게 좋다. 그러니 잔치가 열리는 마당을 가득

채워라. 삶과 마음속에 빈 공간이 남아 있는 사람들로 채워라. '빈' 사람들로 채워라. 어디서 뭘 하며 사는 사람인지, 과거에 무슨 짓을 저질렀는지는 중요하지 않다. 복장이 적합하지 않아도 괜찮다. 시끌벅적한 사람이라도 상관없다. 그저 빈 사람들이면 된다."

당신 안에 하나님께 드릴 빈 공간이 있는가? 그리스도를 알지만 아직 충분히 알지는 못하는가? 다시 말하지만, 우리가 얼마나 채워지느냐는 얼마나 비어 있느냐에 정비례한다. 꽉 찬 삶에 만족하지 말고, 채워지는 삶을 추구하라.

이번에도 무디의 말이다. "하나님은 자기 자신으로 꽉 찬 사람 외에는 누구도 비워진 채로 돌려보내지 않으신다."[7] 우주에서 가장 풍성한 잔칫집 문 앞에서 잔치 초대장을 꽉 움켜쥔 채 굶주리는 사람들이 얼마나 불쌍한가. 문틈으로 흘러나오는 음식 냄새만 맡고 있는가? 입맛만 다시고 있는가? 뭘 머뭇거리고 있는가? 어서 들어와서 자리 잡지 않고.

나의 항복,
회복의 시작

chapter 2

무기력에 젖은 삶을
두드리신다

이 지긋한 오해를 이젠 끝내야 할 때가 왔다. 너무도 오랫동안 우리 남자들은 터무니없는 오해를 받아 왔다. 바로 남자들이 발걸음을 멈춰 길을 묻지 않는다는 것이다. "제발 주유소에 들러서 물어보고 가요." "나를 위해서라도 그렇게 해 줄 수 없나요?" "이러다가는 절대 약속 장소에 제 시간에 갈 수 없어요." "왜 이렇게 똥고집을 부려요?" 참을성 많고 지혜가 넘치는 이성이 보조석에 앉아 아무리 애원해도 남자들은 귀를 닫은 채 엉뚱한 방향으로 수백 킬로미터나 간 뒤에야 후회한다는 것이다.

어떻게 그렇게 잘 아냐고? 왜냐하면 내가 바로 이런 오해의 희생자였으니까. 하지만 희생자 노릇도 오늘 부로 끝이다. 자, 이제 이 오해를 영원히 날려 버릴 연구 결과를 소개하겠다. 〈아메리칸 사이콜로지스트〉 지에서 찾아낸 자료다.[1] 자, 이 연구에 따르면…… 기대하시라!

남자들은 좀처럼 가던 길을 멈추고 도움을 요청하지 않는다.

뒤통수를 맞은 기분이긴 하지만 계속 읽다 보면 내가 원하던 답이 나올 것이다. 그런데 이건……

또한 남자들은 좀처럼 병원에 가지 않는다. 어쩔 수 없이 병원에 가더라도 좀처럼 질문을 하지 않고 자신의 증상을 제대로 이야기하지도 않는다. 이것이 남자가 여자보다 7년 일찍 죽는 이유 중 하나다.

좋다. 맞다. 우리 남자들은 자신을 믿는다. 우리는 아버지에게 남자라면 뭐든 스스로 할 줄 알아야 한다는 말을 듣고 자랐다. 위의 연구 결과가 말해 주듯 우리 남자들은 '도움'이란 말을 입 밖에 내느니 죽기 직전까지 고생하는 편을 택한다. 하지만 바로 이게 남자의 매력이 아닌가?

밝히기 부끄럽지만, 나도 남자의 알량한 자존심을 지키려다가 지독히 고생한 적이 있다. 두어 해 전, 당시 여덟 살이던 아들 카엘과 우리 집 뒤편으로 흐르는 플로이즈포크 강에서 카약을 타기로 했다. 강물을 타고 루이빌 외곽을 둘러싼 광활한 미지의 광야를 탐험하다가 강 위로 올라가 아내에게 전화를 걸어 우리를 태우러 오라고 할 계획이었다.

아내는 그것이 딱 한 가지 맹점만 빼고 좋은 계획이라고 말해 줬다. "이런 건 계획이 아니라 무계획이라고 하는 거예요." 아내는 그렇게 말하고 나서 인터넷 위성 지도에서 우리가 만날 '실재하는' 다리를 찾아보라고 조언했다. 그 말에 조금 당황하긴 했지만 아내의 지극히 당연한 지적은 내 안에 가득한 남자의 고집을 더 자극하는 결과만 낳았다. 그래서 나는 내 계획 같지도 않은 계획을 그대로 밀고 나가기로 결심했다. 내가 아들과 함께 들떠서 탐험 이야기를 하니까 첫째 딸과 그 친구까지 합류하기로 결정했다. 분위기가 한껏 고조되자 마침내 막내딸까지 합세했다.

이렇게 해서 다섯 명으로 이루어진 팀이 탄생했다. 우리는 이웃집에서 카약을 빌려 강으로 나갔다. 저 앞에 강이 보이자 문득 내가 네 명의 생명을 책임지게 되었다는 중압감이 밀려왔다. 하지만 이내 주먹을 불끈 쥐었다. '충분히 할 수 있어!'

45분 만에 탐험대는 지치기 시작했다. 그동안 강 위로 올라갈 지점이 한 군데도 보이지 않았다. 결국 나는 전화기를 꺼내 GPS를 확인하기로 했다. 전화기는 지퍼백이라고 하는 '첨단' 카약 장비 안에 안전하게 보관되어 있었다. 그런데 이럴 수가! 지퍼백이 어디론가 사라지고 없었다.

나도 모르는 사이에 내 휴대폰은 플로이즈포크 강의 사나운 급류 어딘가에서 헤엄치고 있었다. 이는 GPS를 확인할 수 없다는 뜻이었고, 다시 이는 곧 우리가 어디에 있는지 알 수 없다는 뜻이었다.

어느새 두 시간이 지났다. 모두가 물과 땀으로 범벅이 된 채 완전히 방전되었다. 막내는 계속해서 푸념을 했다. "이건 내가 생각했던 모험이 아니야."

어느 순간 아들이 심각한 표정으로 나를 봤다. "아빠, 팔이 잘 움직이지 않아요." 그 말에 내 얼굴은 잿빛으로 변했다. 게다가 상황은 점점 더 나빠져만 갔다. 그날따라 강 물결은 단단히 성나 있었다. 엎친 데 덮친 격으로 해가 떨어지면서 주위가 캄캄해지기 시작했다.

세 시간쯤 지나자 우리의 뱃놀이는 요나의 항해에 버금가는 대모험으로 발전해 있었다. 그때 마침내 저 멀리서 문명의 흔적이 눈에 들어왔다. 강 아래까지 마당이 뻗어 있는 집 한 채를 발견한 것이다. 그리고 한 여자가 마당에서 일하고 있는 것이 보였다. 이젠 살았다 싶어 막 큰소리로 도움을 요청하려는데…….

하지만 그럴 수 없었다. 어떤 이유에서인지 '살려 주세요!'라는 말이 입 안에서만 맴돌았다. 그렇게 머뭇거리는 사이에 그 집은 점점 멀어져 갔다. 딸 중 한 명이 참다못해 소리를 질렀다. "아빠! 도움을 요청하지 않을 거예요?"

"애야, 저 모퉁이만 돌면 바로 다리가 나올 거야. 확실해." 마당에서 잡초를 뽑고 있는 여자는 점점 시야에서 사라져 갔다.

네 시간째, 이제 나도 완전히 지쳤다. 어둠이 이미 짙게 깔려 있었고, 아이들은 좀비와 같은 몰골이었다. 내 인생 최악의 여행이었다. 바로 그때, 다리가 나타났다. 배를 둑으로 향하는데 내 입에서 나도 모르게 살짝 울먹이는 소리가 새어 나왔다. 이젠 자존심이고 뭐고 갓난아기한테라도 도움을 요청할 준비가 되어 있었다. 내가 서둘러 세운 계획은 아들을 길가로 보내는 것이었다. 아파서 팔을 움직이지 못하는 귀여운 여덟 살짜리 꼬마를 모른 체하고 그냥 지나갈 사람은 세상에 아무도 없으리라. 반면, 너덜너덜한 몰골의 서른 중반 남자가 하얗게 질린 얼굴로 길가에 나타나면 다들 혼비백산해서 도망칠 게 뻔했다.

이윽고 차 한 대가 멈춰 서서 창문을 내렸고, 나는 이제 겨우 아들을 찾은 사람처럼 근처에서 뛰어나왔다. 다행히 운전자는 휴대폰을 빌려 줬고 나는 마침내 아내에게 전화를 걸 수 있었다. 아내가 우리를 위험천만한 급류로 파견한 지 네 시간 만의 일이었다. 아내는 한 시간, 적어도 한 시간 반 안에는 전화가 걸려올 줄 알았다고 한다.

아내는 축 늘어진 내 목소리를 듣자마자 상황을 알아챘다. "내가 말해 볼까요? 전화기를 잃어버렸죠? 그래서 거기가 어딘지 모르는 거죠? 기다려요. 데리러 갈 테니까."

왜 애초에 아내의 말을 듣지 않았을까? 왜 그 마당의 여인에게 도움을 요청하지 않았을까? 왜 끝까지 자존심을 접지 못하고 아들을 도로로 대신 내보냈을까?

그 답은 〈아메리칸 사이콜로지스트〉의 똑똑한 편집자들이 누구보다도 잘 알고 있다. 그들 말마따나 나는 "좀처럼 도움을 요청할 줄 모르는 남자"다. 조금이라도 내 힘으로 해낼 가능성이 보이면 끝까지 포기하지 않는다. 여기가 나의 끝이니 도와 달라고 외치는 것을 죽기보다 싫어한다.

▲▲ 교회엔 나오지만 하나님의 도우심을 원치 않는 사람들

우리 문화에는 구차하게 도움을 받지 말고 스스로 돌볼 줄 알아야 한다는 생각이 깊이 뿌리를 내리고 있다. 그래서 실제로는 성경에 있지도 않은 문구 하나가 성경 구절로 둔갑해 널리 사랑받고 있다. 바로 '하나님은 스스로 돕는 자를 도우신다'라는 것이다.

혹시 하나님이 깜박 잊고 이 구절을 성경에 포함시키지 않으신 걸까? 그럴 리가. 반대로, 하나님이 스스로 도울 수 '없는' 자들을 도우신다는 게 더 성경적일 것이다. 철저히 무력해지고 스스로 그것을 통감할 때 비로소 우리는 하나님이 주시는 도움과 변화를 받아들인다. 자신의 끝에 이르렀을 때 거기서 우리는 우리가 내내 절실하게 필요로 했던 도움을 주려고 서 계신 하나님을 발견한다.

요한복음 5장은 이 점을 증명해 주는 여러 성경 이야기 중 하나를 전해 준다. 그것은 38년 동안 병마에 시달려 온 한 남자에 관한 이야기다. 생각해 보라. 무려 14,000일. 그 기나긴 세월 동안 남자는 걸어서 원하는 곳을 가지도, 필요한 것을 스스로 구하지도 못했다. 무력하게 살아온 긴 세월.

이 남자도 기적을 꿈꾸던 시절이 있었으리라. 어릴 적 동네 꼬마들에게 실컷 괴롭힘을 당한 날 밤 잠자리에 누워 내일은 강한 다리를 갖고 깨어나기를 간절히 소망했을 것이다. 하지만 아침에도, 그다음 날 아침에도, 기적은 찾아오지 않았다. 그렇게 40년이 흘러가는 사이, 남자의 영은 돌처럼 딱딱해졌다. 기도를 멈추고 소망을 버린 지 오래였다. 남자는 무력함이라는 현실을 받아들이고 말았다. 이 무력한 상태에서 예수님을 만났다.

남자는 예루살렘 도시에 있는 베데스다 연못을 둘러싼 다섯 개의 입구 중 하나의 근처에 누워 매일을 보냈다. 오랫동안 회의적인 학자들은 이 연못의 존재를 부인했다. 그들은 이 점을 들어, 사복음서가 수십 년 뒤에 당시 예루살렘이 어떠했는지 전혀 모르는 사람에 의해 쓰였다고 주장했다. 하지만 19세기에 이 연못의 자리가 실제로 발견되었고, 그 모습은 요한이 묘사한 그대로였다.

이 연못은 치유의 연못으로 소문나 있었다. 가끔씩 천사가 내려와 이 연못의 물을 움직이게 만들면 가장 먼저 그곳에 들어가는 자의 병이 치료되었다고 한다. 그래서 베데스다 연못은 온갖 병에 걸린 사람들이 몰려드는 곳이었다. 그들은 물에 변화가 나타나기만을 눈이 빠지게 기다렸다.

이 남자는 38년이나 연못가에 살았으니 그야말로 지역 명물이나 다름없었을 것이다. 어느 도시를 가나 그곳을 대표하는 독특한 인물들이 있다. 이 남자는 바로 그런 인물이었다. 그런데 이쯤에서 그의 동기가 궁금해진다. 그는 아직도 물이 움직일 때마다 들어가려고 애쓰고 있었을까? 그토록 오랜 세월이 지난 뒤에도?

물론 처음 그곳에 왔을 때는 희망으로 부풀어 올랐을 게 분명하다. '오늘은 병이 나을 수 있겠지?' 남자는 행복한 상상과 행인들이 던져 주는 동전 몇 푼으로 하루하루를 버텼을 것이다. 하지만 실망의 시간이 어느 정도 지나자 내면의 긍정적인 목소리는 완전히 입을 다물었다. 이제는 손 위에 떨어지는 동전 몇 닢 외에는 더 바라는 게 없었다. 절망은 그의 또 다른 이름이 되어 버렸다.

예수님은 이 남자의 이야기를 처음부터 끝까지 다 알고 계셨다. 그래서 더더욱 예수님의 다음 질문은 도통 이해할 수 없다.

> 거기 서른여덟 해 된 병자가 있더라 예수께서 그 누운 것을 보시고
> 병이 벌써 오래된 줄 아시고 이르시되 네가 낫고자 하느냐(요 5:5-6).

정말 이상한 질문이다. 남자는 심각한 병에 걸려 하루 종일 치유의 연못 주위에서 죽치고 있다. 그가 낫기를 원할까? 헬스클럽에서 운동하는 사람들이 살 빼기를 원할까? 로빈슨 크루소가 무인도에서 탈출하기를 원할까?

어리석은 질문처럼 들린다. 하지만 그 안에 뭔가 깊은 뜻이 함축되어 있는 게 아닐까? 목회를 할수록 예수님의 이 질문이 이해가 간다. 답은 자명해 보이지만 전혀 그렇지 않다. 실제로 치유를 원하지도 않으면서 연못 주위를 배회하는 사람들이 생각보다 많다. 교회에는 오지만 하나님의 도우심은 원치 않는 사람들이 정말 많다.

사람들은 자신도 이해할 수 없는 이유로 행동한다. 그래서 예수님은 문제의 핵심을 지적하신다. '너는 오랫동안 이도저도 아닌 회색지대에 갇혀 있었구나. 정말로 나아지길 원하느냐? 아니면 정녕 절망과 낮은 기대의 땅에 단단히 뿌리를 내리고 말았느냐?'

▲▲ '사는 게 원래 그런 거지, 뭐'

누가 도움을 원하지 않는가? 변화를 두려워하는 사람이다. 이 남자는 꽤 오랫동안 병에 시달려 왔다. 40년 가까이 그렇게 살다 보니 그것이 그가 아는 유일한 삶이 되었다. 딱히 마음에 들지는 않지만 이미 걸인으로 먹고사는 법을 배워 버렸다. 몸은 아프지만 그래도 남들처럼 허리가 휘도록 일하지 않아도 된다는 점은 마음에 든다. 그의 집은 거적이고, 그의 마을은 연못가다. 그의 정체성은 병든 걸인이다. 인간의 적응력은 가히 불가사의할 정도다.

그런데 우리 모두에게 이 남자와 같은 모습이 있다. 우리는 뻔히 더 개선할 수 있는 것을 그냥 받아들일 때가 너무 많다. '사는 게 원래 그런 거지, 뭐.' 그렇게 현재 삶이 하나님이 원하시는 삶이라고 멋대로 단정한다. 그렇지 않다면 하나님이 진작 다른 삶을 주시지 않았을까? 그런 식으로 우리는 하나님을 탓한다. 우리가 이런 상황에 처해 있는 게 하나님의 잘못이라고 생각하니 그분께 도움을 구할 리가 없다. 오래지 않아 우리는 현실에 적응한다. 제한된 삶이 변화보다는 덜 두렵게 느껴진다. 실망보다는 포기가 낫다.

연애 시절, 아내를 몇 번 만나지도 않아서 나는 작은 규모의 무릎 수술을 받게 되었다. 야구 하다가 다친 부위를 치료하기 위해서였다. 당시 그녀의 의중을 알 수가 없었다. 아무래도 나 혼자만 열을 올리는 것 같았다. 그런데 뜻밖에도 이 무릎 수술이 마법을 부렸다. 내가 병실에 눕자마자 그녀가 내가 그토록 갈망했던 관심을 주기 시작한 것이다. 발에 보호대를 대고 목발로 절뚝거리며 걷는 모습이 안타까워 보였는지, 회복 기간 내내 그녀는 전에 일절 하지 않던 행동들을 했다. '열정적인'(어디까지나 내가 느끼기에) 사랑의 카드를 보내 왔을 때는 이게 꿈인가 생시인가 싶었다. 지금도 고이 간직하고 있는 이 카드의 앞면에는 개구리 그림과 함께 "아직 안 나았어요?"라는 제목이 적혀 있다. 안쪽에는 "걱정하지 마요. 금방 회복되어 옛 활기가 돌아올 거예요"라는 글이 예쁜 글씨로 쓰여 있다.

내가 교실을 옮겨 갈 때마다 그녀는 참을성 있게 함께 걸어가 주었고, 서로 떨어져 있을 때는 수시로 안부를 확인했다. 어느 날 교회당에 앉아 있던 때에는 그녀가 내 무릎 보호대에 손을 얹었다. 보호대와 목발을 조금 더 오래 사용해야겠다고 생각했던 기억이 난다. '한 달 정도는 더 사용하자!' 솔직히, 무릎을 예전처럼 회복하길 바라야 하나 말아야 하나 혼란스러웠다. 덕분에 짝사랑하는 여자에게 특별한 관심을 받고 있었으니 말이다. 나는 어느새 보살핌 받는 것에 익숙해지고 나아가 즐기고 있었다.

▲▲ 비정상적인 상태가 정상이 되어 버린 인생

누가 도움을 원하지 않는가? 현실을 부인하는 사람이다. 연못가의 그 남자는 하도 오래 병든 채로 살다 보니 제 발로 마을을 돌아다니고 스스로 살아가는 삶이 무엇인지조차 잊어버리지 않았을까 싶다. 시간만이 아니라 환경도 그를 변화시켰다. 그는 매일 밤낮으로 아픈 사람들에게 둘러싸여 있었다. 그의 세상은 베데스다 연못을 둘러싼 다섯 채의 행각 안으로 완전히 축소되어 있었다. 그가 건강한 사람을 보는 것은 연례행사에 가까웠다. 그래서 병이라는 비정상적인 상태가 그에게는 정상이 되어 버렸다.

서른네 살 여인의 몸에서 100킬로그램이 넘는 종양을 제거하는 장면을 담은 다큐멘터리를 본 적이 있다. 종양이 원래 몸무게의 두 배가 넘었으니 실로 끔찍한 모습이었다. 왜 종양이 그렇게 커질 때까지 기다린 거냐고 물으니 저절로 없어질 줄 알고 도움을 구하지 않았다고 했다. 물론 이 경우 종양은 희귀병 때문이었으나, 이런 태도 자체는 우리 주변에서 흔히 볼 수 있다.

우리는 재정 상태가 저절로 좋아질 거라고 생각한다. 하지만 신용카드 빚은 계속해서 쌓여만 가고, 그것을 아는지 모르는지 우리는 예전처럼 돈을 펑펑 쓴다. 종양이 계속해서 자라간다.

우리는 사춘기 딸이 알아서 정신을 차릴 거라 생각한다. 그렇지만 딸은 계속해서 방탕의 길로 간다. 못된 친구들과 어울리면서 하루가 다르게 하나님에게서 멀어져만 간다. 그러나 우리는 참고 기다리기로 결심한다. 종양이 계속 자라간다.

우리는 상처를 들쑤시지만 않으면 부부 사이의 문제가 언젠가는 괜찮아질 거라고 생각한다. 왜 자꾸만 도움을 요청하라고 하는가? 싸우지 않는 부부가 어디에 있는가? 그리고 부부 사이의 문제는 남이 관여할 문제가 아니다. 하지만 몇 달 만에 부부는 따로 자기 시작하고, 설상가상으로 남편은 같은 직장의 여성에게 호감을 느낀다. 종양이 계속해서 자라간다.

이제 그만 도움을 요청하는 게 어떤가?

▲▲ '남들이 알면 어떻게 생각하겠어, 창피해'

도저히 이대로 살 수가 없어서 도움을 요청하고 싶은 생각이 문득문득 든다. 하지만 그러기엔 너무 늦었다. 상황이 나쁜 수준을 넘어 최악으로 발전했다. 그래서 어쩔 수 없이 그냥 살기로 한다.

한 걸음 뒤로 물러나서 자신을 바라보니 창피하기 짝이 없다. 그래서 도움을 요청하려면 굴욕을 감수해야 한다. 있는 모습 그대로 나아가 자신의 문제점을 숨김없이 드러내야 한다. 그렇지만 그러기가 어디 쉬운가? 생판 모르는 의사에게 내 치부를 드러내고 싶지 않다. 상담자에게 부부 싸움의 중재를 맡기고 싶지 않다. 우리 딸의 문제를 아무에게도 알리고 싶지 않다. 괜히 목사나 가정 상담사에게 털어놓았다가 소문이라도 퍼지면 어쩌는가?

다큐멘터리에 나온 여인은 종양이 저절로 사라지지 않는다는 걸 잘 알았다. 도움이 필요하다는 게 너무도 분명했다. 하지만 종양의 크기가 문제였다. 그렇게 큰 종양을 남에게 보이기가 너무 창피했다. 도움을 요청하면 의사들이 자신을 동물원의 원숭이처럼 구경할 것만 같았다. 도움을 요청하지 않고 기다릴수록 당해야 할 굴욕은 더 커져만 갔다.

우리도 수치스러운 부분을 안고 살아간다. 스스로 보기에도 창피한데, 남들 앞에서 공개적으로 창피를 당한다는 건 상상할 수도 없는 일이다. 그러나 그렇게 남들이 어떻게 생각할지 전전긍긍하는 삶은 참 피곤하다. 교만에는 막대한 대가가 따른다. 남들이 알면 경멸할 거라는 생각은 소리 없이 우리를 죽인다.

목회를 하다 보니 영적으로 방황하는 친구나 가족과 한번 통화해 달라는 부탁을 자주 받는다. 중독에 빠진 10대 아들. 하나님을 떠난 형제. 교회를 떠난 남편. "목사님이 얘기 좀 해 보시겠어요?"

예전에는 이런 부탁을 받으면 기꺼이 전화기를 들었지만 요즘은 그렇게 하지 않는다. 스스로 도움을 요청하지 않는 사람들에게 도움을 제시해 봐야 도움이 되지 않을 뿐더러 오히려 역효과만 난다는 걸 경험으로 깨달았기 때문이다. 당사자가 자신의 끝에 이르러 전화기를 들어 도움을 요청하기 전까지는 그 어떤 변화도 기대할 수 없다. 그래서 이제는 내 전화번호를 알려 주면서 "본인이 원할 때 언제든 연락하라고 하세요"라고 말한다. 스스로 나아지길 원하기 전까지는 내가 해 줄 수 있는 일이 별로 없다.

▲▲ '나는 할 수 없어'

예수님은 가장 단순한 질문을 던지셨다. '예' 아니면 '아니오'로

답할 수 있는 질문이다. "네가 낫고자 하느냐?" 하지만 남자의 대답은 '예'도 '아니오'도 아니다.

> 병자가 대답하되 주여 물이 움직일 때에 나를 못에 넣어 주는
> 사람이 없어 내가 가는 동안에 다른 사람이 먼저 내려가나이다(요
> 5:7).

예수님은 이미 이 상황에 대한 브리핑을 들으셨다. 아마도 이 병자도 앉은 채로 함께 들었을 것이다. 따라서 예수님이 고개를 숙여 낫기를 원하냐고 물으셨을 때 병자는 자신의 동기에 의문을 제기하는 말씀임을 알아챘다. 이에 그는 수없이 우려먹었던 변명을 또다시 꺼낸다. 길게 이야기했지만 한마디로 '할 수 없다'라는 말이다.

심리학자 프랭크 미너스와 폴 마이어는 *Happiness Is a Choice*(행복은 선택이다)란 책에서 우울증 극복 방안을 파헤친다. 이 책에서 저자들은 장애물 앞에서 '할 수 없다'라고 말하는 그리스도인들의 경향을 논한다. 저자들은 '할 수 없다'와 '이미 시도해 봤다'란 말이 "구차한 변명"일 뿐이라며 환자들에게 그럴 바에야 '하지 않겠다'라는 표현을 사용하라고 권한다.

"이 여자와 같이 살지 못하겠습니다." 이런 남자를 상담할 때면 이 두 사람은 대신 "이 여자와 같이 살지 않겠습니다"로 정정하게 한다. "소비를 멈출 수 없습니다"는 "소비를 멈추지 않겠습니다"로 바꾸어야 한다. 그들은 자기 자신에게 자유의지가 있음을 빨리 깨달을

수록 치유의 노력을 빨리 시작할 수 있다고 설명한다.[2]

물론 사람들이 '할 수 없다'라는 변명 뒤에 숨기를 좋아하는 것만큼은 엄연한 사실이다. 하지만 예외는 분명히 있다. 정말로 우리 힘으로는 할 수 없는 상황도 있음을 인정해야만 한다.

이 책은 자기 자신의 끝에 이르러 그리스도와 함께 진정한 모험을 시작한다는 개념을 다루고 있다. 스스로 이 모험 속으로 뛰어들기로 선택할 수도 있지만, '할 수 없다'라고 고백할 수밖에 없는 상황도 분명히 있다. '이게 내 능력의 끝이야. 내가 할 수 있는 건 다 해 봤지만 그리스도 없이는 살 수 없다는 걸 절감했어. 내 힘으로는 죄의 문제를 어쩔 수 없어. 내 힘으로는 일어나 걸을 수 없어.'

물론 여기서 끝난다면 아무런 소용이 없다. 도움의 요청까지 나아가야만 한다. 연못가의 병자도 나름대로 노력해 봤을 것이다. 하지만 결국 예수님만이 도우실 수 있다는 사실을 깨달았다. '저는 할 수 없습니다. 하지만 예수님, 당신은 하실 수 있습니다.' 이것은 부정적인 말이 아니라 오히려 긍정적인 말이다.

▲▲ 예수님이 하시는 일 vs 바리새인이 하는 일

레니를 만난 건 콜로라도 스프링스에서다. 호텔 인근의 식당으로 밥을 먹으러 가는데 웬 남자가 다가와 구걸을 했다. 나는 호주머니에서 구겨진 1달러짜리 지폐 한 장을 꺼내 그에게 내밀었다.

"저기요!" 나는 고맙다고 인사하고 걸어가는 남자를 불렀다. "혹시 괜찮으시다면 몇 가지만 여쭤도 될까요?"

레니는 잠시 나를 뚫어져라 보더니 이내 입을 열었다. "좋아요. 하지만 공짜로는 안 돼요."

내가 돈이 없다고 말하자 그는 망설이는 듯하다가 물어보라고 말했다. 특별히 갈 곳도 없으니 시간이나 때우는 편이 낫기도 했을 것이다.

"어디 사세요?"

그의 시선이 저쪽 길거리를 가리켰다가 다시 내게로 돌아왔다.

"저기 보이죠?"

"정말입니까? 추울 텐데요."

"너무 추운 밤에는 노숙자 쉼터 몇 곳을 이용해요."

"거리에서 사신 지는 얼마나 됐습니까?"

"그러니까 얼마냐…… 8년 됐네요."

나는 잠시 그 세월의 의미를 생각하다가 다시 물었다. "거리 생활의 가장 힘든 점이 뭡니까?"

레니는 일말의 머뭇거림도 없이 대답했다. "도움을 구하는 거요."

뜻밖이었다. 먹을거리를 구하는 일, 혹독한 날씨, 사생활을 즐길 공간이 없다는 점. 나는 이런 것을 생각하며 물었는데 의외로 도움을 요청하는 게 가장 어려운 일이라니.

몇 분간 이야기를 나누다 보니 레니의 마음이 조금은 열렸다. 그에게서 한참 길거리 생활에 관해 듣고 나서 마지막으로 나는 가장 궁금했던 점을 물었다. "도와 달라고 말하는 것이 그토록 어렵다면 왜 이 생활을 하시는 거죠?"

레니가 어깨를 으쓱했다. "달리 살 방법이 없었어요."

레니처럼 마침내 도움의 필요성을 인정한다면 자신의 끝에 거의 이른 것이다.

물론 연못가의 남자는 아직 거기에 이르지 못했다. 하지만 분명 그는 도와줄 사람이 없다는 말을 했다. 도움이 필요하지 않다고 말하진 않았다. 그는 자기 힘으로 할 수 없다는 점만큼은 인정했다. 남들에게 도움을 요청하는 것은 오래전에 그만두었을지 몰라도 예수님 앞에서 도움의 필요성만큼은 인정했다. 그는 자신의 힘으로 연못에 들어갈 수 없다는 걸 잘 알았다. 물론 그는 연못에 들어갈 필요조차 없었다. 살아 계신 생명수가 찾아오셨으니 말이다.

천사가 내려와 이 물을 움직이게 만든다는 지역 전설이 정말로 사실이라면 이 천사는 정말 무정하다. 사람들을 돕는 데는 관심도 없나 보다. 이런 천사에게 희망을 걸었다가는 38년 동안이나 코앞에서 번번이 좌절을 당할 수도 있다.

다행히 우리 예수님은 다르시다. 심지어 예수님은 이 남자의 동기에 의문을 제기하면서도 상관없이 치료해 주셨다. 예수님은 대개 순수한 믿음에 치유로 보답해 주신다. 하지만 이 이야기에서는 예수님이 그 원칙을 깨셨다. 이 남자는 자나 깨나 물에 들어갈 생각뿐이었다. 순수하게 예수님의 능력에 소망을 두지 않았다는 말이다. 그러나 예수님은 '너는 자격이 없어'라며 고개를 가로젓지 않으셨다.

이 남자는 변명을 하면서도 스스로 자신의 끝에 이르렀음을 잘 알았다. 예수님은 이 점을 보시고 그에게 찾아와 치유해 주셨다. 예수님의 도움을 받기 위해 오디션을 보지 않아도 된다. 우리에게 필요한 것은 그저 우리의 무기력을 그분 앞에 내려놓는 것뿐이다. 우리의 끝에 이르면 바로 그곳에서 그분이 우리를 만나 주신다.

우리도 이 남자와 같은 실수를 저지를 때가 정말 많다. 우리도 연못에만 정신이 팔려 있다. 군중이 가는 곳으로 맹목적으로 따라간다. 세상의 방식을 따른다. 그러다가 삶이 회복되지 않으면 실망감에 젖어든다. 하지만 예수님은 기어코 우리를 찾아내시며, 우리를 영원히 변화시켜 주신다.

이 남자는 예수님이 시키시는 대로 다 했다. 38년 만에 처음으로 그는 제 발로 섰다. 이제 더 이상 그는 무력한 병자가 아니었다. 그의 세상은 오랜 세월 동안 다섯 채의 행각 안으로 제한되어 있었지만 순식간에 그의 지경이 수평선 너머까지 끝없이 확장되었다. 이제 남자는 어디로든 갈 수 있었다. 뭐든 할 수 있었다. 예수님의 손길을 통해 그는 진정한 자유인이 되었다.

예수님은 이 남자의 무기력을 두 가지 방식으로 다루셨다. 첫째, 신적 능력으로 그를 치유해 주셨다. 둘째, 그에게 일어나 걸으라는 명령에 순종할 힘을 주셨다.

예수님은 "일어나 네 자리를 들고 걸어가라"(요 5:8)라고 명령하셨다. 한 문장에 세 개의 행위 동사가 포함되어 있다. 그러나 오해하지는 마라. 치유하시는 분은 어디까지나 예수님이시다. 우리가 신적 능력에 일조하는 게 절대 아니다. 치유는 하늘에서 내려오는 일방적인 선물이다. 하지만 언제나 순종할 거리는 주신다. 그분은 우리가 수동적인 자세에서 능동적인 자세로 다시 나아가기를 원하신다. 그래서 우리에게 찾아와 '일어나라! 이부자리를 개서 이동해라. 진정한 삶이 너를 기다리고 있다'라고 말씀하신다.

죄의 용서는 서막에 불과하다. 예수님은 우리에게 일어나서 새로운 삶 속으로 걸어갈 힘을 주신다. 성령의 능력으로 매일을 살아가게 하신다. 그러니 어서 자신의 끝에 이르러 예수님의 명령을 듣고 행할 준비를 하자.

이것은 기적에 관한 이야기다. 따라서 '그 후로 평생 행복하게 살았답니다'라는 결말이 예상된다. 그런데 이 이야기는 다소 우울하게 끝을 맺는다. 남자는 자신의 두 발로 서 있다. 만면에는 기쁨의 미소가 가득하다. 예수님의 명령대로 그는 거적을 들고 걸어간다. 하지만 잠깐! 9절과 10절을 보니 이날은 다름 아닌 안식일이다. 안식일마다 바리새인들은 어딘가에 숨어서 예수님이 율법을 어기고 선행을 하기만을 기다렸다. 아니나 다를까, 종교 지도자들이 우르르 몰려와 남자를 몰아세운다. "안식일인데 네가 자리를 들고 가는 것이 옳지 아니하니라"(요 5:10).

황당하면서도 안타깝지 않은가? 이 지도자들은 이 남자의 가슴 아픈 사연을 잘 알고 있었다. 그런데 그가 기적적으로 치유되는 광경을 보고서 고작 한다는 짓이 쉬는 날 거적을 들고 돌아다녔다고 비난하는 것이었다.

매번 바리새인은, 막 놀라운 일을 경험하고서 기뻐하는 사람들에게 가혹한 말로 찬물을 끼얹는 악역으로 등장한다. 도대체 삶이 얼마나 팍팍했기에 다른 사람들의 기쁨과 구속을 그토록 못 봐주었을까? 바리새인은 매사를 삐뚤어진 시각으로 보았다. 그들은 퍼레이드를 찾아다니는 먹구름이었다. 이 놀라운 구속의 광경을 보고 깊은 감동을 받는 게 인지상정이다. 보통 사람 같으면 병 고침 받은 이 남자를 부둥켜안고 축하해 주었을 것이다. 하지만 바리새인은 불법 거적 이동 죄로 이 남자를 체포하려고 했다.

몇 달 전 우리 교회에서 한 남자가 예수님을 영접했다. 그는 야구 모자를 쓰고 있었는데, 그날 예배가 끝나고 한 교인이 복도에서 나를 세우더니 그의 복장에 대해 잔소리를 했다. 정말로 그 감동적인 자리에서 내내 야구 모자에만 신경을 썼단 말인가?

다른 사람의 기쁨을 함께 나누지 못하는 사람은 아직 자신의 끝에 이르지 못한 사람이다. 좋은 소식을 듣고도 좋아할 줄 모르는 사람이 얼마나 불쌍한 줄 아는가? 다른 이가 절망을 이긴 것이 곧 우리 자신의 승리라는 걸 왜 모르는가? 그것은 바로, 그리스도가 순종함으로 일어나 걸어가는 모든 자에게 똑같은 해방을 주신다는 약속의 증거다. 자신의 끝에 이르러 그리스도 안에서 다시 시작하면 누가 승리하든 내 일처럼 기뻐하며 잔치에 동참하게 되어 있다.

▲▲ 하나님이 좋아하시는 시간, 바로 지금

사실, 38년이든 76년이든 겨우 38초든 상관없다. 하나님은 시간의 제약을 받지 않으신다. 어디 시간뿐인가? 하나님은 제약이라곤 모르시는 분이다. 하지만 하나님이 좋아하시는 시간이 있기는 하다. 그 시간은 바로 '지금'이다.

왜 바로 '지금' 도움을 요청하지 않는가? 혹시 주변에서 이런 말을 들었기 때문인가? '지금은 아니야.' '너무 늦었어.' '창피하지도 않아?' '그냥 참고 기다리면 좋아질 거야.'

혹시 이것이 당신 자신의 목소리인가? 강에서 너무 오래 표류하다 보니 이젠 포기한 채 그저 강물이 흐르는 대로 떠내려가고 있는가? 하지만 하나님께 너무 늦은 때란 없다. 오히려 당신의 끝에 이르렀을 때 예수님이 오신다. 당신이 힘을 다 잃고 철저히 무기력해져 있을 때 그분이 오신다. 요한복음 5장의 병자는 심지어 38년도 너무 늦은 것이 아님을 경험했다.

예수님의 절친한 두 친구 마리아와 마르다에게는 죽음조차도 끝이 아니었다. 그들은 예수님이 당연히 오실 줄 알았지만 그만 그분이 오시기도 전에 오빠 나사로가 죽고 말았다. 그들은 너무 늦었다고 생각했다. 하지만 예수님은 결국 오셨고, 나사로의 이름을 부르면서 연못가의 남자에게 하셨던 것과 비슷한 명령을 내리셨다. "나사로야 나오라"(요 11:43).

야이로에게는 열두 살짜리 딸이 있었다. 그런데 끔찍이 사랑하는 그 딸이 시름시름 죽어 가고 있었다. 예수님이 그의 집으로 가던 중에 종이 찾아와 슬픈 소식을 알렸다. "이젠 오시지 않아도 됩니다. 따님이 방금 전에 세상을 떠났습니다." 하지만 예수님은 걱정하지 말고 믿음을 가지라고 말씀하셨다. '거적 위에 앉아 있지 말고 일어나 다시 걸어라.' 예수님은 그 아이를 살리셨다. 덕분에 장례식 대신 성대한 잔치가 열렸다.

제자들은 밤새도록 그물을 던졌지만 피라미 한 마리 잡지 못했다. 빈 그물은 빈 식탁을 의미했다. 제자들은 자신들의 무력함을 인정할 수밖에 없었다. 둘째가라면 서러울 뱃사람들이 몇 시간 동안 허탕만 쳤다. 그때 예수님이 오셔서 배 반대편에 그물을 던지라고 말씀하셨다. 그대로 순종하자 그물이 터질 듯 꽉 찼다. 지금 예수님은 우리에게도 똑같이 말씀하신다. '한 번만 더 해 봐라. 단, 이번에는 네 힘이 아니라 내 힘으로 해라. 아직도 늦지 않았다.'

예수님이 십자가에 달리셨을 때 바로 곁에서 한 강도도 죽어 가고 있었다. 손목과 발목에 못이 박힌 채 성난 군중의 저주를 받으며 생명을 잃고 있는 상황보다 더 무기력한 상황도 없으리라. 함께 이 세상을 떠나고 있는 예수님과 범죄자. 그런데 뜻밖에도 강도는 아직 늦지 않았다는 것을 깨닫고 예수님께 도움을 요청했다.

예수님은 그 자리에서 그 강도의 천국 입성을 허락하셨다. 이 남자는 분명 비참한 인생을 살았겠지만 마지막 숨이 끊어지기 직전에 인생의 최고의 순간을 맞았다. 예수님은 그에게 이렇게 말씀하셨다. "너를 용서한다. 자, 아버지의 품으로 들어오라. 네가 상상도 할 수 없는 충만함과 영원한 사랑 속으로 들어오라. 십자가에서 일어나라. 죽음에서 일어나 다시 걸어가라. 자, 함께 가자."

이 모든 사람은 한 번 더 시도하라는 예수님의 말씀을 무시할 수도 있었다.

일어나라. 믿음을 갖고 순종하라. 네 거적에서, 네 동굴에서, 네 십자가에서, 네 절망에서 일어나 다시 걸어가라. 아직 늦지 않았다. 아니, 지금 이 순간이야말로 가장 완벽한 시간이다. 바로 지금 주님이 당신을 만나고자 하신다. 무기력한 현재의 삶을 그대로 받아들일 것 없다. 그저 도움을 요청하라. 무력할수록 더 좋다. 무력할수록 주님만이 주실 수 있는 도움에 더 마음을 열 테니. 나의 끝이야말로 주님이 나를 만나 주시는 지점이다.

나의 실패,
사명의 시작

chapter 3

경험의 무덤에서
비전의 숨을
마시라

이런 일을 겪어 본 적이 있는가? 친구 집에 놀러갔는데 피아노가 눈에 들어온다. "누가 치는 거야?" 그렇게 묻자 친구가 피아노 앞에 앉아 라흐마니노프의 광시곡을 멋들어지게 연주한다. 친구가 당신에게 고개를 돌려, 다룰 줄 아는 악기가 있냐고 묻는다. 살짝 얼굴이 빨개진 당신은 초등학교 시절 리코더를 꽤 잘 불었다는 사실을 말할까 하다가 이내 입술을 깨문다.

자신이 아무 재능도 없는 실패자처럼 느껴진다면 특효약을 처방해 주겠다. 탈락된 이력서들을 찾아 읽어 보라. 나는 인터넷을 뒤지다가 입사 시험에 탈락된 이력서들을 모아 놓은 곳을 발견했다.

한 지원자는 버젓이 엄마가 쓴 자기소개서를 제출했다. 또 다른 지원자는 왜 그 회사에 들어가길 원하느냐는 질문에 이런 답변을 내놓았다. "집행유예 중이라 보호관찰관에게 잘 보이기 위해서요." 그런가 하면 성과를 나열하는 난에 "반에서 상위 85퍼센트로" 졸업했다고 자랑한 지원자도 있었다. "지금까지 50리터의 피를 헌혈했다."

"여러 외국…… 악센트를 구사할 줄 안다." 한 여성은 이렇게 썼다. "언니 둘이 회계학과를 나왔기 때문에 나도 숫자에 자신이 있다."

재밌으면서도 한편으로는 슬프다. 자신에게 자격이 없다는 건 씁쓸하고 서글픈 일이다. 좋은 직장에 들어가려면 일정 수준 이상의 경력과 교육, 개인적인 자질이 필요하다. 어디 세상 일만 그런가? 우리는 하나님의 일에도 당당히 주역으로 참여하고 싶어한다. 이미 구체적인 꿈을 꾸는 사람들도 있을 것이다.

다음 문장을 완성해 보라.

무엇보다도 _____ 일에 하나님의 도구로 쓰이고 싶다.

이 문장을 페이스북과 트위터에 올렸더니 많은 대답이 올라왔다. 몇 가지만 소개해 보겠다.

- 가족을 구원하는 일.
- 내 암을 치료하는 의사들에게 하나님의 놀라운 능력을 보여 주는 일.
- 내가 사는 지역의 이혼 가정 자녀들에게 하나님의 사랑을 전해 주는 일.
- 중독자들이 중독을 이겨 내도록 돕는 일.
- 여성들을 포르노 산업에서 구해 내는 일.

- 부모가 원치 않는데 임신된 아기들을 낙태에서 구해 내는 일.
- 이웃들에게 예수님을 소개해 주는 일.
- 비록 아이들을 아빠 없이 키우고 있지만, 그 아이들을 위대한 인물로 키워 내는 일.
- 동유럽에 교회를 개척하는 일.
- 교도소 수감자들에게 복음을 전하는 일.
- 손자손녀를 예수님의 제자로 키우는 일.
- 아이들을 성매매에서 구하는 일.
- 그리스도의 이름으로 이웃을 섬기는 일.
- 그리스도로 인해 변화된 모습을 남편에게 보여 주는 일.

이 외에도 좋은 꿈이 너무도 많은데 지면상 다 소개하지 못해서 아쉽다. 하나같이 아름다운 꿈이다. 하지만 이들 한 명 한 명에게 다시 묻고 싶다. '그래서 그런 일에 쓰이고 있습니까?'

이들 중 많은 사람이 꿈을 향해 열심히 달려가고 있으리라 믿지만 개중에는 넘볼 수 없는 꿈을 말이라도 한번 해 보자는 심정으로 올린 사람들도 있을 것이다. 그들은 스스로 그 일을 할 자격이 없다고 생각한다. 당신은 어떤가?

하나님을 위해 꼭 하고 싶은 일이 있지만 하나님이 뽑아 주시지 않을까 봐 감히 하늘을 향해 손을 들지 못한다. 자신의 부족함 때문에, 혹은 좋지 않은 환경 때문에 자격이 없을 거라고 생각한다. 그래서 거울을 보며 고개를 떨어뜨린다. '하나님은 분명 다른 사람을 선

택하실 거야.'

자, 하나님이 과거의 이력서들을 어떻게 처리하셨는지 보자.

▲▲ 뜻밖의 카드를 꺼내신 하나님

이 책에서 우리는 사복음서에 기록된 예수님과 사람들의 만남을 유심히 살펴봤다. 예수님은 자기 자신의 끝에 이른 사람들을 만나 새로운 출발을 허락하셨다. 그런데 사도행전에도 그에 못지않게 유명하면서도 감동적인 이야기가 실려 있다. 어쩌면 신약 전체를 통틀어 예수님과의 가장 강력한 만남이 아닐까 싶다.

남자의 이름은 사울이었다. 그는 사도행전 7장에서 처음 등장한다. 그 전까지만 해도 극을 이끌어가는 주요 배역은 베드로와 요한을 비롯한 제자들이었다. 하지만 바울이 등장하자마자 극은 그를 중심으로 재편된다. 예수님과 그의 만남은 엄청난 스파크를 일으켰다.

예수님과 일대일로 만나기 전의 사울은 한 장면에서 반짝 등장했다가 사라졌다. 주인공은 폭도에게 마을 밖으로 끌려나와 돌에 맞아 죽은 스데반이라는 역동적인 그리스도인이었다. "증인들이 옷을 벗어 사울이라 하는 청년의 발 앞에 두니라"(행 7:58). 엑스트라. 수많은 얼굴 중 하나였다.

사도행전의 저자 누가는 사울이 누구 편이었는지를 분명히 말해 준다. 사울은 돌을 던진 자들의 편이었다. 이런 인물이 커서 무엇이 될지는 뻔하다. 다음 장을 보니, 시간이 흘러 사울이 폭도의 우두머리로 승진해 있다. "사울이 교회를 잔멸할새 각 집에 들어가 남녀를 끌어다가 옥에 넘기니라"(행 8:3). 사울은 단순히 그리스도에게 반감을 품은 인물이 아니었다. 누가는 그가 집집마다 쳐들어가 교회를 잔멸했다고 밝힌다. 그는 새로운 종교가 꽃을 피우기 전에 싹을 자르기 위해 천인공노할 짓을 서슴지 않은 반기독교 테러리스트였다.

사울이 등장하기 전까지는 예수 운동을 지구 상에서 지워 버리겠다고 나선 인물이 없었다. 그런 의미에서 그는 초대 교회의 첫 대적(大敵)이었다. 이야기는 사도행전 9장으로 넘어간다. 분위기는 여전히 살벌하다. 사울은 예수를 따르는 이에 대해 위협과 살기가 등등했다(행 9:1 참조). 예수 운동이 북쪽의 도시 다메섹으로 번져 가고 있다는 첩보를 입수한 그는 대제사장을 찾아가 초대 교회 소탕 작전의 전권을 위임하는 공문서를 요청한다. 수색대를 이끌고 가 범인들을 잡아올 계획이었다.

하지만 사도행전 9장 3-9절에서 보듯이 극적인 전환점이 찾아온다. 사울 자신만이 아니라 세계 역사 자체가 바뀌는 순간이었다.

다메섹까지는 도보로 엿새가 걸리는 거리다. 사울이 그곳에 거의 당도했을 때 갑자기 눈부신 빛이 그를 쓰러뜨린다. 아니, 눈부신 정도가 아니라 말 그대로 눈이 멀어 버릴 만큼 강렬한 빛이었다. 빛 가운데서 누군가가 그의 이름을 부르며 묻는다. "왜 나를 박해하느냐?"

"누구십니까?"

"나는 네가 핍박하는 예수다."

이 목소리가 이제 일어나 도시로 들어가 지시를 기다리라고 말한다. 기세등등했던 수색대의 우두머리가 이제 도시로 쳐들어가는 게 아니라 지팡이로 땅을 더듬거리며 들어가게 되었다.

자, 하나님이 악당을 쓰러뜨리셨으니 이제 끝장낼 일만 남았다. 이런 자에게 용서란 있을 수 없다. 그런데 하나님은 용서는 물론이고 아예 이 사람을 예수 운동의 지도자로 탈바꿈시키신다. 초대 교회의 대적 사울이 유대교 밖에 있는 자들을 위한 첫 번째 전도자요 기독교 최초의 위대한 신학자로 변신한다.

예수 운동의 지도자로서 자격이 없는 사람을 꼽으라면 초대 교회 소탕 작전의 우두머리로 신자들을 무참히 학살한 자가 1순위가 아닐까? 예수님께 바울이 '꼭' 필요했다면 그나마 말이 되겠지만 그것도 아니었다. 예수 운동은 이미 엄청난 탄력을 받고 있었다. 매일같이 수많은 회심자와 제자가 쏟아져 나왔다. 그런데 하나님이 이런 뜻밖의 카드를 꺼내신 데는 특별한 이유가 있는 것이다. 하나님이 뭔가 우리에게 메시지를 보내신 것이라고 판단할 수밖에 없다. 그 메시지는 무엇이었을까? 그것이 우리에게 무엇을 의미할까?

▲▲ '이젠 늦었어요'

물론 바울은 예외적인 경우다. 바울 이야기를 일반화하는 것은 마치 노아의 방주를 가족 여행의 사례로 드는 것과도 같다. 바울이 된 사울은 당신과 나 같은 평범한 사람이 아니었다. 그는 회심 전이나 후나 대단한 인물이었다. 타고난 리더였다. 하지만 하나님이 세상에서 가장 자격 없어 보이는 인물을 골라 세상에서 가장 중요한일을 맡기셨을 때는 분명 뭔가 하시려는 말씀이 있으시던 게 아니었을까? 합격과 탈락의 기준은 무엇인가?

하나님의 기준이 높고 엄격할 거라고 생각하는 사람이 너무도 많다. 그들은 하나님을 섬기고 싶지만 스스로 섬길 자격이 없다고 생각한다. 내가 가정과 사는 곳, 일터에서 그리스도를 보여 주라고 권면하면 여러 가지 변명이 나오는데 가장 흔한 변명 중 하나는 이것이다. "이젠 늦었어요."

제한시간 초과로 인한 실격. 유효 시간이 다 지나갔다. 사람들은 과거를 돌아보며 땅을 친다. "저때만 해도 큰일을 할 수 있었는데 이젠 늦었어." 종료 휘슬이 울렸다. 게임이 끝났다.

루이빌대학 쿼터백 시절 숱한 기록을 남기고 NFL에서 오래토록 살아남았던 크리스 레드먼은 나와 아주 친한 사이다. 얼마 전에 그에게 내가 다음 시즌에 쿼터백으로 뛰면 어떻겠냐고 물었다. 당연히 NFL에서 말이다. 나는 도전을 좋아하다 못해 사랑한다!

그가 즉시 웃는 것으로 보아 내 말을 진지하게 받아들이지 않는 게 분명했다. 나는 다시 짐짓 심각한 표정으로, 내가 몸싸움을 무서워할까 봐 그러냐고 물었다.

"그건 아니에요."

"좋아요. 그깟 몸싸움쯤은 얼마든지 견딜 수 있어요. 이래 봬도 내가 꽤 강골이거든요."

"첫 경기부터 엄청난 몸싸움을 당할 겁니다. 있는 줄 몰랐던 뼈까지 죄다 부러질 거예요. 하지만 시간이 지나면 나을 거예요. 육체적으로는 말이죠."

"그런데 뭐가 문제죠?"

"문제는 정신이에요. 남은 평생 정신적인 충격을 안고 살아가야할 거예요. 라인백커들이 꿈에 나타날 걸요. 아들이 캐치볼을 하자고 볼을 건네면 비명을 지르며 도망치게 될 거예요."

솔직히 그의 말이 맞을지도 모른다. 나는 슈퍼볼 출전 꿈을 진작접은 삼십 대 후반의 아저씨다. 레드먼에 따르면 배는 이미 떠났다.

내 아들은 아홉 살이다. 작년에 아들과 나란히 앉아 NFL 플레이오프를 시청하다가 문득 우리가 경기를 보는 태도가 완전히 다르다는 것을 느꼈다. 아들에게 NFL 플레이오프는 실현 가능한 꿈이었다. 아들에게 슈퍼볼 출전은 실제로 일어날 수도 있는 일이었다. 하지만 내게는 꿈에서나 가능한 일이었다. 그러니 하품이 나올 수밖에. '아직도 2쿼터야? 가서 낮잠이나 자야겠군.' 아들의 눈에는 가능성으로 가득한 미래가 보였지만 내 눈에는 눈앞의 감자칩만 보였다.

하지만 만약 이런 태도가 삶의 다른 영역까지 옮겨간다면? 우리가 삶이라는 경기를 포기한 채 관중석으로 기어 올라간다면? 예를 들어……

• 가정이 무너지기 시작하자 '포기'라는 단어가 떠오른다. '너무

늦었어. 이젠 돌이킬 수 없어.'

- 잘못된 길로 가는 자녀를 보고만 있을 수 없어 개입하고 싶지만 말해 봐야 듣지 않을 것만 같다. '너무 늦었어. 잠깐 한눈을 파는 사이에 아이들이 이미 다 커 버렸어.'
- 이웃에 사는 사람이 인생의 답을 찾고 있는 것이 보인다. 그리고 나는 그 답이 어디에 있는지 알고 있다. 하지만 이내 착각한 것이라는 생각이 든다. '최소한 교회의 집사 정도는 되어야 이런 걸 조언해 줄 수 있는 게 아닌가?'
- 상사를 찾아가 개선안을 제시하고 싶은 생각이 든다. 하지만 이내 마음을 접는다. '내가 뭐라고 나서?'

냉장고에서 우유를 꺼내 유통기한을 확인한다. "1월 7일." 날짜가 지난 우유만큼 쓸모없는 것도 없다. 악취가 나고 시큼한 맛이 난다. 유통기한 안에 시리얼을 붓고 먹었다면 좋았으련만. 이젠 버리는 수밖에 없다. 그런데 하나님이 자신을 이렇게 유통기한이 지난 우유쯤으로 본다고 생각하는 사람들이 적지 않으니 안타까운 노릇이다.

▲▲ '하나님이 나를 원하실 리 없어요'

사람들에게 하나님을 섬기라고 권유할 때 듣게 되는 가장 슬픈 대답 중 하나는 "이런 짓을 저지른 나를 하나님이 원하실 리가 없어요"라는 것이다. 그들은 하나님이 자신이 아는 가차 없는 사람과 똑같을 것이라고 제멋대로 생각한다. '하나님도 나를 포기하셨을 거야. 아니, 나를 미워하실 거야. 나는 절대 그분의 기준에 도달할 수 없어. 나는 실수를 너무 많이 했어. 사람들에게도 인정받지 못하는 놈이 무슨 하나님의 일을 하겠어?'

베드로도 그런 기분을 느낀 적이 있다. 예수님이 직접 고르고 골라 오랜 시간 동안 집중 훈련을 시킨 제자. 예수님이 "반석"이라 부르실 정도였으니 얼마나 대단한 인물이었을까?

하지만 베드로는 위기의 순간에 예수님이 예언하신 그대로 그분을 부인하고 말았다. 그 뒤로 그는 예수님의 팀에서 영원히 방출되었다고 판단하고서 옛 삶으로 돌아갔다. 몇 시간 전 식사 자리에서 예수님은 그가 실패할 거라고 말씀하셨다. '왜 그런 말씀을 하셨을까? 혹시 나를 조롱하셨던 것은 아닐까? 난 해낼 수 없다고, 몇 시간만 지나면 스스로 얼마나 형편없는 놈인지 똑똑히 확인하게 될 거라고 말이야.'

베드로는 사역 외에 유일하게 할 줄 아는 일인 어업으로 돌아갔다. '내 주제에 사역은 무슨. 역시 나한테는 고기잡이가 어울려.' 그는 배에 올라 단꿈 같았던 행복한 시절을 회상했다. 예수님이 자신을 선택하셨다. 그것은 그야말로 기적이었다. 하지만 그렇게 굴러들어온 복을 스스로 차버리고 말았다.

문득 고개를 들어 보니 이른 새벽, 바닷가에 누군가가 보인다. 이럴 수가! 예수님이시다. 그리운 스승이 그에게 손을 흔들며 아직 해

야 할 일이 남아 있는데 배 위에서 뭘 하고 있냐고 말씀하신다. '너는 여전히 선택된 자다.'

모세는 또 어떤가? 왕자로 자란 그는 세상을 발아래 두었다. 하지만 한순간의 화를 억누르지 못하고 애굽 병사를 죽이는 바람에 황무지로 도망칠 수밖에 없었다. 애굽의 왕자가 시골 양치기로 전락했다. 그렇게 그는 원대한 꿈은 잊은 채 수십 년 동안 숨죽이고 살았다. 하나님도 자신을 잊었으리라 생각했다. 그러던 어느 날 밝은 무엇인가를 봤다. 불타는 덤불. 그 속에서 그를 다시 위대한 일로 부르는 음성이 들려왔다. '너는 여전히 선택된 자다.'

마태는 세금 징수 부스에 앉아 있었다. 동포를 배신하고 로마에 빌붙은 매국노. 돈 몇 푼에 양심과 명예를 팔아 버린 파렴치한. 하지만 외로움에서 해방되는 건 돈으로 살 수 없었다.

그러던 어느 날 유명한 랍비이자 치유자이신 분이 다가와 "나를 따르라"라고 말씀하셨다. 이 역시, 그를 선택하셨다는 말씀이다.

필시 이들 모두는 쉴 새 없이 추한 과거를 들추어내는 목소리에 둘러싸여 있었을 것이다. '베드로, 네가 한 짓을 생각해 봐!' '모세, 너는 한물간 퇴물이야!' '마태, 외로움은 네가 자초한 거야!' 사람들은 상처를 들쑤시길 좋아한다. 그래야 자신의 실패가 덜 뼈아프게 느껴지기 때문이다. 그들은 끊임없이 성적을 매기고 발표한다. 이런 목소리는 평생 끊이지 않는다. 문제는 우리가 그런 말을 귀 기울여 듣고 마음에 담아 둔다는 것이다.

나의 끝에 이른다는 건 예수님을 따라 묵은 잘못에 대한 죄책감과 수치심의 끝에 이른다는 뜻이기도 하다. 예수님은 우리의 지난 성적표를 찢어 버리고 새 목적을 가진 새로운 출발을 주신다.

▲▲ '사람들이 내 죄를 잊지 않을 거예요'

때로는 남들을 봐 주기가 쉽지 않다. 용서하기도 어렵지만 잊어 버리기는 더 어렵다. 그런데 하나님은 그리스도로 인해 우리 과거를 보시지 않는다. 그리스도를 통해 우리의 죗값은 모두 지불되었다. 그래서 하나님은 우리에게 뒤에 있는 것을 잊고 앞에 있는 것을 향해 나아가라고 말씀하신다. 하지만 그것은 하나님이니까 가능한 것이다. 하나님처럼 용서하고 잊어버리는 삶을 명령받았지만 한낱 인간인 우리로서는 그것이 말처럼 쉽지 않다.

남들이 당신을 어떻게 볼지 걱정인가? 하지만 우리는 다른 이들이 좋게 생각하건 말건 상관없이 전진할 줄 알아야 한다. 우리 미래를 결정하는 건 남이 아니라 하나님이시다. 따라서 우리는 그저 하나님이 가라고 하시면 가야 한다. 그렇게 하면 우리를 의심했던 사람들이 틀렸음을 증명해 보이고 그들에게 하나님의 은혜를 가르쳐 줄 수 있다.

바울은 천 년 전의 일까지 기억하는 문화권에서 자랐다. 유대인들은 역사 속의 영웅들, 특히 적들에 관해서는 작은 사건 하나까지도 정확히 기억했다. 이보다 더 과거를 가슴에 품고 사는 민족은 다시 없으리라. 그런 만큼 그들은 바울이 최근까지 어떤 사람이었는지도 똑똑히 기억했다. 그러니 바울이 쭈뼛거리며 교회 안으로 들어와 같은 편이 되겠다고 선포했을 때 그들이 얼마나 당황했을지 상상해 보라.

순식간에 교회 안이 텅 비지 않았을까? 이 남자는 손에서 아직 핏자국도 다 마르지 않은 사형집행인이었다. 그 외에도 모든 면에서 바울은 자격미달이었다. 다른 신자들은 대부분 예수님을 실제로 알았고 이 새로운 교회를 세우는 데 힘을 보탰으며 오랜 시간 동안 주님의 가르침을 되새겨 온 사람들이었다. 그들에게 바울은 어디서 갑자기 굴러들어온 돌일 뿐이었다.

사도행전 9장에서 우리는 여전히 눈이 멀고 혼란이 가득한 채 다메섹 도상에 쓰러져 있는 바울을 발견할 수 있다. 이보다도 더 극적인 드라마도 없다. 이 시각, 주님은 '아나니아'란 교인에게 바울을 찾아가 그에게 손을 얹으라는 명령을 내리고 계셨다. 당시 교인들에게 바울은 손을 얹기는커녕 손을 봐주고 싶은 존재였다. 따라서 아나니아의 반응은 전혀 놀랍지 않다.

> 아나니아가 대답하되 주여 이 사람에 대하여 내가 여러 사람에게 들사온즉 그가 예루살렘에서 주의 성도에게 적지 않은 해를 끼쳤다 하더니 여기서도 주의 이름을 부르는 모든 사람을 결박할 권한을 대제사장들에게서 받았나이다 하거늘(행 9:13-14).

다음 구절에서 하나님은 이렇게 대답하신다. "가라 이 사람은 내이름을 이방인과 임금들과 이스라엘 자손들에게 전하기 위하여 택한 나의 그릇이라"(15절).

아나니아는 인간인지라 과거를 따질 수밖에 없었다. 하지만 하나님은 믿음과 순종을 요구하셨다. 어떤 경우에도 그분의 뜻을 따르겠다는 결단이 중요하다. 왜냐하면 그분의 뜻은 우리 생각과 전혀 다를 때가 너무도 많기 때문이다.

가끔 인생이 전후로 극명하게 나뉜 사람의 장례예배를 집도할 때가 있다. 허랑방탕하게 살다가 예수님을 만나고서 180도로 변한 사람 말이다. 그런 장례식에는 고인의 옛 삶만을 아는 조문객들도 찾아온다. 그래서 나는 고인의 두 가지 삶을 다 듣고서 장례예배를 준비한다.

프랭크는 오십 대 중반에 심장마비로 세상을 떠났다. 우리가 아는 프랭크는 가족을 사랑하고 예수님을 잘 믿는 사람이었다. 유족들은 예배 중에 조문객들이 고인과의 추억을 나누는 시간이 있었으면 좋겠다고 부탁했다.

듣는 사람의 입장에서는 그런 시간이 훈훈하지만 계획하는 사람의 입장에서는 바늘방석에 앉은 것처럼 조마조마하기만 하다. 누가 어떤 말을 할지 모르니까 말이다. 역시나 프랭크의 대학 친구들이 마이크를 잡고서 그가 얼마나 술을 잘 마셨는지부터 온갖 낯 뜨거운 이야기를 한참 떠들었다.

급기야 한 친구는 이런 말까지 했다. "이 친구는 차에 대해서는 까다로워도 여자는 묻지도 따지지도 않고 닥치는 대로 만났죠." 물론 그들은 프랭크를 오랫동안 보지 못한 친구들이었다. 유족들의 인상이 구겨지는 것을 봤는지 못 봤는지, 옛 친구들은 마이크를 놓을 생각을 하지 않았다.

한참 만에 친구들이 자기 자리로 돌아갔다. 이제 내가 나서서 프랭크가 그리스도를 만나고 나서 얼마나 딴 사람이 되었는지를 말해 주려는데, 갑자기 프랭크의 처남이 나와 마이크를 잡았다. "알다시피 형님은 며칠 전에 세상을 떠나셨습니다. 하지만 방금 친구 분들이 말씀하신 형님은 오래전에 돌아가셨습니다."

과거 때문에 스스로 하나님을 섬길 자격이 없다고 단정하는 사람들이 너무 많다. 하지만 바울은 그러지 않았고 프랭크도 그러지 않았다. 당신은 어떤가?

▲▲ '내 이름은 이미 더럽혀졌어요'

바로 이런 이유로 하나님은 사람들의 이름을 바꿔 주셨다. 예를 들어, 시몬은 베드로로, 야곱은 이스라엘로, 사울은 바울로 개명했다. 개명과 더불어 이들은 새 삶을 사는 새로운 사람이 되었다. 예수님으로 인해 사울은 모든 죄를 용서받고 바울이라는 완전히 다른 인물로 자유롭게 살아갈 수 있었다. 그의 어두운 이력은 깨끗이 지워졌다. 하지만 그에 상관없이 가장 중요한 자격은 하나님이 주시는

자격이다. '내가 너를 선택했노라.'

당신이 여태 짊어지고 있는 과거의 짐은 무엇인가? 간음? 다윗 왕에게 찾아가 대화를 나눠 보라. 거짓말? 기만? 그것에 관해서라면 아브라함과 이삭이 웬만한 사람들보다 좀 아는 편이다. 더러운 과거? 하나님은 기생 라합도 선택하셨다. 분노와 성질? 야고보와 요한 같은 다혈질도 하나님의 계획에 포함되었다. 최악의 순간에 실수를 저질렀는가? 요한 마가도 그랬다. 과거의 인간관계가 엉망인가? 우물가의 여인도 그랬지만 하나님은 예수님께 그녀만을 위한 메시지를 들려 보내셨다.

어쩌면 오늘은 당신의 차례일지도 모른다. 예수님이 당신을 위한 메시지를 들고 계신다. 당신 자신의 자격과는 아무런 상관이 없는 메시지다. 바로, 당신의 끝에 이르는 것과 관련된 메시지다. 당신 자신이 끝날 때, 그때 비로소 하나님이 당신을 가장 유용하게 사용하실 수 있다. 당신이 뭔가 제시할 필요는 없다. 하나님이 순전히 은혜로 당신을 선택하셨다.

하나님의 일을 하고 싶지만 한 가지 문제점이 유독 마음에 걸리는가? 걱정하지 마라. 하나님은 바로 그 문제점을 사용하길 원하신다. 사실, 전화위복이야말로 하나님이 가장 즐겨 사용하시는 전략이다. 당신의 '불합격 요인'이 하나님께는 '합격 요인'이 된다. 앞서 예수님의 가르침을 통해서도 이미 확인하지 않았는가?

척 콜슨은 이 점을 이해했다. 원래 그는 평생 부와 명예를 좇던 사람이었다. 그는 대통령의 측근으로 권력의 중심부에 입성했지만 워터

게이트 스캔들로 수갑을 차면서 공든 탑이 하루아침에 무너져 내렸다. 그가 힘겹게 쌓았던 삶의 자격들이 산산이 부서졌다. 그의 '자랑스러운 이름'이 이제는 늦은 밤 토크쇼의 조롱거리로 전락했다. 하지만 그가 자신의 끝에 이르렀을 때 비로소 그의 삶을 통한 하나님의 역사가 본격적으로 시작되었다. 그의 입을 통해 직접 들어 보자.

> [내 삶의] 거대한 역설은 하나님이 내 삶 속에서 전혀 뜻밖의
> 것을 사용하기로 선택하셨다는 것이다. 감옥에 들어가 살아 계신
> 하나님의 능력으로 변화된 사람들의 얼굴을 볼 때마다 그것을
> 새삼 깨닫는다. 내 성공이나 성취, 학위, 상, 명예, 대법원에서의
> 승소. 하나님은 내 삶 속에서 이런 것을 사용하시지 않았다.
> 하나님이 말 그대로 수천 명의 삶을 변화시키기 위해 내 삶 속에서
> 사용하고 계신 것은 바로 내가 전과자라는 사실이다.[1]

고린도전서 1장 18절에서 바울은 복음의 메시지가 세상 사람들에게는 어리석은 소리지만 예수님의 제자들에게는 하나님의 능력이라고 말했다. 기독교 신앙은, 하나님이 모두에게 실패와 패배처럼 보이는 것을 통해 영광을 받으신다고 믿는 것이다.

이 구절에서 바울은 복음의 메시지에 대해 십자가의 도라는 표현을 썼다. 십자가가 무엇인가? 당시 그것은 지독한 수치와 굴욕의 상징이었다. 로마는 강도나 살인자를 십자가에 매달았다. 그런데 그리스도인들은 그 십자가를 오히려 하나님 능력의 상징으로 사용했

다. 왜 그랬을까? 그것이 지혜였기 때문이다. 세상 사람들이 알던 모든 것이 틀렸기 때문이다.

자기 인생 경험의 무덤. 바로 거기서 우리는 우리 실패를 통해 영광을 받으시는 하나님의 능력과 구속을 만난다. 전과자에서 교도소 사역자로 변신한 척 콜슨, 노예무역을 하다가 회심하고 나서 놀라운 찬송가를 쓴 존 뉴턴, 교회를 무너뜨리기 위해 동분서주하다가 반대로 교회를 온 세상으로 확장시키기 위해 동분서주하게 된 예수쟁이 사냥꾼 사울. 이 모두가 그 증거다.

당신의 탈락 요인은 무엇인가? 하나님이 그것을 어떻게 사용하실지 기대하라.

▲▲ '아직 준비되지 않았어요'

이 모든 말을 듣고 고개를 끄덕이는 당신의 모습이 내 눈에 선하다. 하긴, 맞는 말이니까. 성경에 분명 그렇게 쓰여 있고 하나님이 지금까지 수없는 증거를 보여 주셨으니 반박할 길이 없다. 하지만 아직도 마지막 변명 하나가 당신의 입 안에서 맴돌고 있다. '나는 아직 준비되지 않았어요.'

이것은 전형적인 몸 빼기 전략이다. '앞으로 배워야 할 게 많아. 아직 멀었어. 이왕 하려면 완벽히 준비하고 하겠어. 섣불리 뛰어들었다가는 일을 그르칠 수 있어.'

지극히 신중하고 상식적인 말처럼 들리지 않는가? 나는 하나님 나라를 위한 큰일을 할 잠재력을 지닌 사람들을 많이 봤다. 하나님 이 그들을 통해 놀라운 역사를 행하시는 것은 시간문제처럼 보였다. 그런데 그들의 준비 과정은 끝날 줄 몰랐다. 마치 학교를 졸업할 생 각이 없는 학생들 같았다. 성경공부 모임을 한 번만 더. 하나님의 뜻 을 분별하기 위한 기도를 조금만 더. 다이빙 도약대 위에 설 때마다 "아무래도 몸을 조금만 더 만들고 와야겠어"라며 몸을 돌리는 만년 연습생.

제발 그냥 뛰어내리리라! 뛰어내릴 준비가 되기 '전에' 뛰어내리리라.

바울은 세례를 받고 시력이 돌아왔다. 하지만 살인 충동은 돌아 오지 않았다. 그는 완전히 다른 사람이 되었다. 그러고 나서 그는 다 메섹에서 제자들과 며칠을 보낸 뒤에 곧바로 회당에서 설교를 하기 시작했다(행 9:20 참조). 그리스도인들을 잡아넣어도 좋다는 대제사장 의 승인서를 들고 다메섹으로 달려온 것이 불과 며칠 전의 일이다. 그런데 벌써 설교를? 주말 신학교라도 다녀왔나?

물론 바울이라고 해서 하루아침에 신앙의 완숙한 경지에 이른 것은 아니다. 여느 사람들처럼 그도 남은 평생 성장과 배움의 길을 걸어야 했다. 제자의 길은 누구에게나 멀고도 험난한 길이다. 지름 길 따위는 없다. 하지만 하나님은 일단 시작하라고 말씀하셨고, 바 울은 지체 없이 순종했다.

구원의 감격으로 여전히 충만해 있는 새 신자가 세상 사람들에 게 예수님을 가장 열심히 전하는 경우가 많다. 반대로, 오래 믿을수록 자신보다 더 준비된 자들을 바라보며 자신은 아직 준비되지 않았다고 생각하기 쉽다.

바울은 아직 완벽히 준비되지 않았다. 그러나 예수님의 음성을 분명히 들었는데 무슨 걱정인가. 성령이 충만히 임해 가라고 하시니 가면 그만이다. 물론 천하의 바울이라 해도 그의 내면에서 또 다른 목소리가 들렸을지 모른다. '아직은 아니야! 시간을 두고 천천히 준비해.' 하지만 바울이 나중에 한 말을 들어 보라. "하나님이 우리에게 주신 것은 두려워하는 마음이 아니요 오직 능력과 사랑과 절제하는 마음이니"(딤후 1:7).

열정으로 불타오르는가? 아니면 두려워서 머뭇거리고 있는가? 성령에게서는 언제나 담대함만 나온다. 하나님은 우리의 부족함이나 아쉬운 과거를 따지지 않으신다. 용기가 없는가? 하나님이 주실 테니 걱정하지 마라. 말주변이 없는가? 하나님이 할 말을 채워 주실 테니 걱정하지 마라.

지극히 평범해 보이는 순간 속에서, 다른 이와의 짧은 만남 속에서, 하나님이 당신을 통해 인생을 변화시키는 놀라운 말씀을 하실 것이다. 하나님이 당신을 선택하시면 선택된 자에게 어울리는 능력도 함께 주실 것이다. 그런 짧은 만남 중 하나를 소개해 보겠다.

▲▲ 실패작 인생이 그분의 걸작으로

아내와 함께 연극을 보러 갔다. 솔직히 말하자면 나는 연극을 별로 좋아하지 않는다. 하지만 나는 아내를 사랑하고, 그날은 결혼기념일이었다. 연극의 반이 끝나고 잠시 쉬는 인터미션이 찾아왔다. 하품만 하다가 불이 켜지자 기지개를 펴고 주위를 둘러보았다. 그런데 옆자리의 남자가 나를 보고 미소를 지으며 말을 걸어 왔다. 그는 변호사였는데 고등학교를 갓 졸업한 딸을 데리고 왔다.

"보기 좋네요. 저희 집은 딸이 셋이랍니다." 내가 말했다.

남자는 눈으로 자기 딸을 가리키고 나서 이렇게 말했다. "이 녀석이 기어 다닐 때가 엊그제 같은데 벌써 저렇게 컸어요. 녀석이 어릴 적에 저는 좋은 아빠가 못 되었죠. 화는 잘 내고 일은 바쁘고. 무슨 말인지 아시겠죠?" 그는 나를 좀 더 자세히 뜯어보더니 다시 말했다. "얘기 좀 들어 보실래요? 이 애가 여섯 살 때 있었던 일이에요. 그 일로 저는 완전히 다른 아빠가 되었답니다."

나는 웃으면서 고개를 끄덕였다. "좋습니다. 어서 해 보세요. 저도 딸 가진 아버지로서 배울 점이 있을 것 같네요."

"6년 동안 저는 형편없는 남편이자 아빠였죠. 하지만 직장에서는 승승장구했어요. 그때는 돈 많이 벌어다 주는 게 제일인 줄 알았죠. 그러는 사이에 가정이 무너지고 있었어요. 지금은 그것이 보이는데 그때는 왜 몰랐는지, 원."

"그래서 어떻게 됐어요?" 나는 당연히 건강이 심각하게 나빠지거나 회사가 망했다는 말이 나올 줄 알았다. 그의 이야기가 연극보다 훨씬 더 재미있었다.

"한 친구가 저를 교회로 초대했답니다." 남자는 그렇게 말하고는 내가 대꾸할 틈도 주지 않고 재빨리 덧붙였다. "혹시 교회에는 관심이 없으실지 모르겠지만 그래도 한 번만 들어 보세요. 저도 예전에는 그랬답니다."

그제야 이 남자가 나를 전도하려는 것임을 알아차렸다. 짜증스러운 길거리 설교자를 한두 번 만난 적은 있지만 그 외에는 낯선 사람에게서 예수님에 관해 듣기는 처음이었다.

"처음에는 교회에 갈 마음이 눈곱만큼도 없었어요. 하지만 이 친구가 하도 조르는 바람에 두 손을 들고 말았죠. 딱 한 번만 가고 말자고 생각했는데, 그 한 번이 제 인생을 송두리째 바꿔 놓을 줄은 정말 꿈에도 몰랐어요. 결과적으로, 그것이 제 평생에 가장 잘한 일이 되었답니다."

우리 대화를 유심히 듣고 있던 그의 딸은 아버지의 곁에 더욱 바짝 붙더니 내게 환한 미소를 지어 보였다. 딸은 그 미소로 마치 '우리 아빠는 최고예요!'라고 말하는 듯했다.

이윽고 쉬는 시간이 끝나고 불이 다시 꺼졌다. 덕분에 나로서는 흐르는 눈물을 들키지 않을 수 있어서 다행이었다. 일면식도 없던 사람이 내게 자신의 실패담을 통해 예수 그리스도를 전해 주었다. 바로 이것이 하나님의 능력이 나타나는 방식이다. 하나님은 우리의 실패작을 그분의 결작으로 바꾸기를 즐겨하시는 분이다. 그리스도의 사랑과 은혜가 아니면 완전히 변화된 마음을 설명할 길이 없다. 한때 이혼 직전까지 갔던 부부가 다시 마음을 하나로 모아 딸의 얼굴에 그런 미소를 피워 낼 수 있었던 건 전적으로 하나님의 은혜다.

우리가 할 수 없는 가장 큰 이유는 하나님이 하실 수 있기 때문이다. 우리의 약점이야말로 하나님의 능력이 빛을 발할 수 있는 완벽한 배경이다. 당신의 약점은 무엇인가? 외모? 나이? 두려움? 상관없다. 실격 이유들을 다 하나님 앞에 내려놓으라. 당신의 끝으로 가라. 그곳이야말로 하나님께 온전히 쓰일 수 있는 최적의 장소니!

chapter 4

예수만 의지하라,
예수가 일하신다

한번은 '예수님의 리더십'이란 주제로 세미나 강연을 해달라는 요청이 들어왔다. 예수님의 리더십 중에서 어떤 측면에 관심이 있는지는 알 수 없었지만 나도 그 주제에 관심이 컸고 현장에서 얼마든지 상황에 맞춰 강연을 즉흥적으로 조정할 수 있다고 자신했기 때문에 그 요청을 받아들였다.

그런데 강연 날짜가 얼마 남지 않아서 추가 정보 하나를 얻었다. 아뿔싸! 강연 시간이 토요일 오전이 아닌가. 어떻게 그렇게 중요한 정보를 빠뜨릴 수 있단 말인가. 교회에서 나는 토요일 오후 예배의 설교를 맡고 있다. 세미나에서 강연을 하고 나서 차로 제 시간에 교회로 돌아오는 것은 불가능했다. 그렇다고 비행기 편도 마땅하지 않았다. 어쩔 수 없었다. 나는 약속을 어기는 것을 굉장히 싫어하지만 그 방법이 유일해 보였다.

바로 그때, 머릿속에 좋은 생각이 번쩍 떠올랐다. 마침, 우리 교회에 취미로 헬리콥터를 조종하는 교인이 있었다. 그 교인을 볼 때마다 나도 한 번 헬리콥터를 타 봤으면 하고 생각했는데 이번이 절호의 기회였다. 그야말로 꿩 먹고 알 먹을 기회였다. 그의 헬리콥터를 타고 세미나에 갔다가 강연을 마치고 난 뒤 다시 그 헬리콥터로 교회에 돌아오면 모든 것이 완벽했다. 다행히 그는 흔쾌히 수락해 주었다.

우리는 어느 추운 토요일 아침에 만나 저 높은 창공으로 날아올랐다. 헬리콥터를 타니까 기분이 정말 좋았다. 단지 푸른 하늘을 나는 기분만 좋았던 게 아니다. 말하기 좀(아니, 너무!) 창피하지만 헬리콥터를 타고 강연하러 가니까 마치 내가 저명인사가 된 기분이었다. 나도 모르게 입이 떡 벌어진 주최자들의 모습을 상상했다.

눈이 꽤 온 주말이라, 주최 측은 헬리콥터가 세미나 장소인 예배당 바로 옆에 착륙할 수 있도록 눈을 말끔히 치워 놓았다. 착륙하기 직전, 문득 이런 생각이 들었다. '내 바로 전 순서로 강연하는 사람은 얼마나 정신 없을까? 귀청을 때리는 프로펠러 소음, 바람에 흩날릴까 머리카락을 꽉 잡고 있는 사람들, 광풍에 놀라 사방으로 뛰어다니는 작은 동물들……. 하지만 나 같은 거물을 맞으려면 이 정도 불편은 감수해야 마땅해.'

헬리콥터가 착륙하는 동안 나는 어떤 거물이 왕림했나 보려고 모두가 고개를 쭉 빼고 있는 광경을 상상했다. 미국 대통령이라도 왔나? 물론 아니다. 그냥 평범한 목사가 왔을 뿐이다. 들뜬 기분에 나도 모르게 거들먹거리는 자세로 걸어 나와 내 조종사의 인사에 건방진 경례로 답했다.

예배당 안에 들어가니 내 강연 시간까지 약 15분이 남았다. 곧바로 누군가가 다가와 내 강연의 정확한 제목이 적힌 프로그램 순서지를 건넸다. 그것을 읽는 순간, 내 얼굴이 홍당무처럼 빨개졌다. "낮아짐의 리더십."

'오! 하나님, 제게 이렇게 심한 한 방을 먹이시다니요!' 스스로 낮아지는 겸손의 리더십에 관해 강연하는 줄도 모르고 더없이 거만한 모습으로 강연장에 들어서는 꼴이란. 사람들이 속으로 얼마나 욕했을까? 이 사태를 도무지 무마할 길이 없어 보였다. 내 강연에 사례로 쓰려고 일부러 벌인 쇼였다고 둘러댈까 하는 생각이 살짝 내 머릿속을 스치고 지나갔지만 도저히 양심에 찔려서 그럴 수가 없었다.

변명을 하면 상황이 더 악화될 것 같았다. 잘못을 인정하는 게 올바른 수순이었다. 그래서 내 강연은 내가 지금부터 가르치려는 주제에 관해 나 역시 배울 게 아직도 너무 많다는 고백과 인정으로 시작되었다.

이런 식으로 예수님은 끊임없이 우리를 일깨워 주신다. 우리는 틈만 나면 교만과 자존심, 남들에게 잘 보이려는 욕구의 함정에 빠진다. 나의 끝에 이르는 것은 곧 내 힘의 끝에 이르는 것을 의미한다. 계속해서 살펴보면 알겠지만 우리의 약함은 하나님이 강하심으로 채워 넣을 공간을 만들어 낸다.

▲▲ 왜 하필이면?

약함이 예수님께는 정말 좋은 것이다. 심지어 그분의 탄생도 이 개념을 가르치기 위해 의도적으로 계획되었다. 예수님은 유력 인사들에게 손을 흔들며 헬리콥터에서 내리시지 않았다. 하지만 우리는 구유 그림이 그려진 성탄카드를 하도 많이 봐서 예수님이 지독히 약한 모습으로 찾아오셨다는 사실이 특이하다는 점을 잘 인식하지 못한다. 예수님은 진퇴양난에 빠진 불쌍한 10대 소녀에게서 태어나셨다. 마리아와 요셉은 레위기 율법에 따라 아이의 탄생에 대해 어린 양을 제물로 바칠 수 없을 만큼 빈궁했다. 그래서 어쩔 수 없이 값싼 새 두 마리로 어린 양을 대신할 수밖에 없었다.

참으로 아이러니가 아닌가? 세상을 위한 희생제물인 어린 양의 부모가 '평범한' 어린 양조차 드릴 수 없었다니. 왕이 빈민으로 세상에 내려와서 나사렛이라는 비좁은 시골 마을에서 자랐다.

우리는 구유의 이미지가 평온하고 포근해서 좋다고 하지만 가만히 생각해 보라. 구유는 가축의 여물통이다. 예수님의 분만실은 온 세상에서 가장 냄새나는 분만실이었다.

성탄절에 아내가 향기 나는 초들을 꺼내는데 문득 그런 생각이 들었다. 성탄절용 촛불 세트는 애플파이 모양에서 성탄 향기가 난다는 초까지 그야말로 다양하게 구색을 갖췄다. 하지만 과연 그런 향기가 성탄과 어울리는 걸까? 분명 신선한 쇠똥에서는 절대 그런 향기가 나지 않을 것이다. 사람들을 위해 만들어진 향이 좋은 촛불 세트. 하지만 진짜 성탄 향기 초라면 '목자의 땀'이나 '지저분한 나귀', '낙타 똥' 같은 이름이 붙어야 마땅하다.

우리는 당연하다는 듯이 "그 어리신 예수 눌 자리 없어"라고 노래한다. 하지만 이상하지 않은가? 왜 하필 가난한 집안과 마구간에서 태어나셔야 했는가? 왜 하필 블루칼라 목자들인가?

그것은 그분이 하나님이시며, 하나님이 자신의 능력을 드러내기 위한 최상의 배경으로 약함을 선택하셨기 때문이다. 약함은 하나님이 강하심으로 채워 넣을 공간을 만들어 낸다. 이 모든 일이 우연히 일어났다고 생각하는가? 과연 하나님이 태초부터 계획된 그 중대한 순간에 아무런 사전 조사도 하지 않고 덜컥 역사 속으로 들어오셨을까? 하나님이 아들을 위해 최고급 분만실을 예약하는 것을 깜박 잊으셨을까?

그럴 리가 있겠는가. 건축가들이 인테리어 설계를 소개하는 텔레비전 프로그램에서 말하는 것을 들어 보면 그들은 특정한 물체가 돋보이게 만들 줄을 안다고 한다. 비결은 배치에 있다. 그 물체가 눈에 확 들어오는 지점에 놓으면 된다. 마찬가지로, 하나님은 온 우주의 건축가시다. 지독한 약함과 가난, 비천함의 배경 위에서 능력과 영광이 가장 돋보인다.

예수님은 세계 최대의 도시 중 하나에서 태어나실 수도 있었다. 그러면 사람들은 "딱 어울리는 시간과 장소야. 역시 메시아로 예언된 분은 어디가 달라도 달라"라고 말했을 것이다. 예수님은 억만장자 가문에서 태어나실 수도 있었다. 그러면 사람들은 돈의 힘에 감탄했을 것이다. 예수님은 황제의 아들로 태어나실 수도 있었다. 그러면 사람들은 권력의 힘을 칭송했을 것이다.

그러나 예수님은 가난하고 약하고 이름 없는 집안에 태어나셨고, 우리는 이에 대해 "역시 하나님의 능력은 대단해"라고 말할 수밖에 없다. 하나님은 아무것도 없는 휑한 백지 위에 능력의 붓을 휘저으셨다. '자, 봐라!'

▲▲ 어제나 오늘이나 강함이 미덕인 세상

우리가 사는 이 세상은 약함이 아니라 강함을 숭상한다. 물론 1세기에도 마찬가지였다. 바울은 고린도 교회에 편지를 쓸 때 약함이 좋다는 게 그들에게 받아들이기 힘든 개념임을 잘 알았다. 고린도는 사치스러운 생활양식을 자랑하는 화려한 도시이자, 음란이 판을 치고 밤새도록 술 마시며 몸을 흔들기 좋아하는 방탕아들의 땅이었다. 그곳은 방종의 땅이요 인간의 능력과 성취를 강조하는 땅이었다. 현대의 대도시와 아주 흡사하다고 보면 된다. 이런 식으로 살면 오직 하나님이 주실 수 있는 것에서 멀어지게 되어 있다.

바울은 약함이 하나님의 강하심을 경험할 수 있는 열쇠임을 어렵게 깨달았다. 이제 바울은 그렇게 얻은 비싼 교훈을 고린도 교인들과 나누고 싶었다. 하지만 그들에게는 강한 자로서 말해야 통할 것 같았다. 그래서 바울은 예전에 자랑스럽게 흔들고 다니다가 창고에 처박아 둔 이력서를 꺼내 먼지를 털었다. 고린도 교인들에게 전혀 꿀리지 않는 사람이라는 점을 증명하려면 그 이력서가 필요했다. 그래야 약자의 변명만 늘어놓는 사람으로 보이지 않을 테니까. 그러나 바울은 자신의 강함을 이야기하면서도 그렇게 자기 자랑을 하는 게 어리석게 느껴진다고 분명히 말한다.

> 누가 무슨 일에 담대하면 어리석은 말이나마 나도 담대하리라
> 그들이 히브리인이냐 나도 그러하며 그들이 이스라엘인이냐 나도
> 그러하며 그들이 아브라함의 후손이냐 나도 그러하며 그들이
> 그리스도의 일꾼이냐 정신없는 말을 하거니와(고후 11:21-23).

바울이 낯 뜨거워 하는 모습이 눈에 선하다. 대화의 물꼬를 트기 위해 어쩔 수 없이 자격증을 내밀기는 하지만 그것이 오래전에 버린 것임을 이해해 달라는 투다. 방금 기가 막힌 일출을 봤는데 누군가가 일곱 살 때 그린 해 그림을 보여 달라고 해서 매우 난감해하는 상황 같달까.

다음 장에서 바울은 마지못해 계속 영적 자격증을 나열하다가 14년 전의 일을 깜짝 고백한다.

> 무익하나마 내가 부득불 자랑하노니 주의 환상과 계시를 말하리라
> 내가 그리스도 안에 있는 한 사람을 아노니 그는 십사 년 전에
> 셋째 하늘에 이끌려 간 자라 (그가 몸 안에 있었는지 몸 밖에 있었는지

나는 모르거니와 하나님은 아시느니라) 내가 이런 사람을 아노니
(그가 몸 안에 있었는지 몸 밖에 있었는지 나는 모르거니와 하나님은
아시느니라) 그가 낙원으로 이끌려 가서 말로 표현할 수 없는 말을
들었으니 사람이 가히 이르지 못할 말이로다 내가 이런 사람을
위하여 자랑하겠으나 나를 위하여는 약한 것들 외에 자랑하지
아니하리라(고후 12:1-5).

고린도 교인 중 한 명이 이 편지를 전 교인에게 읽어 주고 있다고 상상해 보자. 이 대목을 읽는데 누군가가 급하게 말을 끊는다. "잠깐! 뭐라고?" 한 노인은 보청기를 꺼내 낀다. 두어 명이 낭독자의 뒤로 달려가 어깨 너머로 편지를 살핀다. "방금 셋째 하늘에 이끌려 갔다고 했어? 그게 14년 전에 일어난 일이라고?" 그런데 말하는 분위기를 봐서는 지금까지 아무한테도 그 얘기를 하지 않은 듯하다. 심지어 지금도 마지못해 공개하는 느낌이다.

나라면 우쭐해서 동네방네 떠들고 다녔을 게 분명하다. 헬리콥터 사건만 떠올려 봐도 내가 그러고도 남을 위인이라는 걸 알 수 있다. 내가 천사의 나라에 들렀다는 이야기를 아무에게도 하지 않고 14년을 버틴다는 건 불가능에 가깝다. 나라면 14초 만에 인스타그램에 그 사실을 올렸을 것이다.

오늘 셋째 하늘 방문. #노필터
#오늘당신은무엇을했나요?

나라면 주제를 가리지 않고 모든 대화에서 이 얘기를 꺼낼 것이다. 정치를 논하는 자리든 축구 얘기를 하는 자리든 상관없이 기회를 노리다가 불쑥 "내가 셋째 하늘에 이끌려 갔을 때 말이야. 다들 들었어? 셋째 하늘에 이끌려 갔다고!"라고 말할 것이다.

또 그랬다면 이 책도 쓰지 않았다. 대신《셋째 하늘: 하나님이 당신이 아닌 나를 선택하신 이유에 대한 고찰》이란 책을 쓰고, 여력이 닿는다면 〈실재하는 셋째 하늘〉이란 영화도 찍었을 것이다.

하지만 바울은 그 일에 대해서 10년 하고도 4년 동안 입을 굳게 다물었다. 그동안 그는 '그리스도의 종'일 뿐이었다. 종은 전혀 인상적인 프로필이 아니다. 사람들이 궁금해 하는 건 종이 아니라 그 주인의 정체다.

그러므로 편지에서 바울은 이런 말을 한 것이다. "그렇다. 나는 남부럽지 않은 배경을 지녔다. 혈통도 히브리 순수 혈통이다. 그리고 누구 못지않게 고생도 해 봤다. 난파도 당해 봤고, 매질도 당해 봤고, 돌에 맞아도 봤고, 감옥에도 들어가 봤다. 추위와 배고픔도 겪어 봐서 잘 안다. 순교만 빼고 다 경험해 봤다. 참, 스펙터클한 사건을 원하는가? 나는 정신을 잃고 초자연적인 여행을 한 적도 있다. 그래서 얼마든지 내가 최고의 그리스도인이라고 자랑하고 다닐 수도 있었다. 그러나 이제부터 내가 그렇게 하지 않은 이유를 말해 주겠다."

▲▲ 당신이 없애고 싶은 가시는 무엇인가

이어서 바울은 또 다른 폭탄을 투하한다. 이번에는 현대 독자들을 감질나게 하는 폭탄이다. 속 시원하게 얘기 좀 해 주지, 원.

> 너무 자만하지 않게 하시려고 내 육체에 가시 곧 사탄의
> 사자를 주셨으니 이는 나를 쳐서 너무 자만하지 않게 하려
> 하심이라 이것이 내게서 떠나가게 하기 위하여 내가 세 번 주께
> 간구하였더니(고후 12:7-8).

셋째 하늘에 다녀온 뒤로 우쭐해지지 않으려면 어떻게 해야 할까? 고생해야 한다. 고질병이 있어야 한다. 통증이 심하면 헛된 꿈을 꿀 겨를이 없다.

짐작했겠지만 이 "육체의 가시"를 놓고 온갖 추측이 난무했다. 하지만 그것이 무엇이었든 바울은 그것을 자신과 하나님 사이의 문제로 봤던 것 같다. 일단, 여기서 가시는 작은 가시 정도가 아니다. 원문의 단어가 '창'이나 '말뚝'을 의미하기 때문이다. 따라서 이것은 단순히 감기나 종이에 살짝 베인 상처 정도가 아니다. 바울은 그것을 없애 달라고 '요청'이 아니라 '간청'할 정도로 고통스럽게 살았다.

바울은 성취욕이 남다른 사람인데 이 문제가 발목을 잡으니 무척이나 답답했을 것이다. 필시 그는 이렇게 기도하고 싶었을 것이다. '하나님, 이 고통만 사라지면 제가 당신을 위해 얼마나 더 많은

일을 해낼지 생각해 보십시오.' 하지만 그런 기도를 하려고 할 때마다 세미한 음성이 들리지 않았을까? '중요한 것은 네 성과가 아니다. 필요한 건 네 힘이 아니다.'

바울의 편지가 계속된다.

> 나에게 이르시기를 내 은혜가 네게 족하도다 이는 내 능력이 약한
> 데서 온전하여짐이라 하신지라 그러므로 도리어 크게 기뻐함으로
> 나의 여러 약한 것들에 대하여 자랑하리니 이는 그리스도의
> 능력이 내게 머물게 하려 함이라 그러므로 내가 그리스도를
> 위하여 약한 것들과 능욕과 궁핍과 박해와 곤고를 기뻐하노니
> 이는 내가 약한 그때에 강함이라(고후 12:9-10).

이 마지막 문장, 즉 하나님이 가르쳐 주신 지혜가 고통의 보상이었다. 하나님은 항상 강하시지만 우리가 약할 때 그 강하심이 분명히 드러난다. 세상은 바울이 주인공이 아님을 분명히 알 수 있었다. 자신의 끝에서 우리는 하나님의 강하심을 진정으로 경험하게 된다.

이것이 우리에게는 지독히 어렵다. 우리가 평생 세상의 그릇된 가치를 배우며 자라기 때문이다. 어릴 적부터 우리는 강한 게 좋다고 배운다. 물론, 강하면 좋다. 우리는 육체적으로 강하기를 원한다. 학문적으로나 도덕적으로도 강하길 바란다. 그래서 바울은 여기서 힘을 '갖는' 것과 힘에 '의지하는' 것의 차이점을 말한다. 세상은 스스로 강해지라고, 자기 힘을 키우라고 말한다. 하지만 하나님은 강

해지되 진정으로 중요한 것은 그분의 능력임을 잊지 말라고 말씀하신다. 그러니 그분의 힘을 의지하라.

'마음만 먹으면 뭐든 할 수 있다.' 세상은 그렇게 믿으라고 가르친다. 그러나 복음은 이 말을 살짝 비튼다. '그리스도를 통해 뭐든 할 수 있다.' 세상은 절대 약한 모습을 보이지 말라고 가르치지만, 복음은 우리가 약할 때 그리스도가 빛나신다고 말한다.

약함에 대한 내 생각은 예전과 크게 달라졌다. 과거에는 하나님이 우리의 약함에도 '불구하고' 역사하신다고 생각했다. 하지만 생각할수록 그게 아니었다. 하나님은 우리가 약한데도 '불구하고' 능력을 드러내시는 게 아니라 오히려 우리 약함을 '통해' 능력을 나타내신다.

그렇지 않다면 사실 우리는 하나님의 능력과 영광에 쓸모없는 존재 정도가 아니라 아예 방해물이다. 가만히 있는 게 오히려 돕는 것이다. 괜히 나서서 방해하지 말고 그분이 편하게 역사하실 수 있도록 멀찍이 떨어져 있는 편이 낫다. 하지만 감사하게도 그렇지 않다. 자식을 사랑하는 여느 부모처럼 하나님도 뭐든 우리와 함께하기를 원하신다. 그것이 우리의 도움이 필요해서일까? 아니다. 하나님이 우리와 함께 일하기를 원하시는 건 단지 그것이 그분을 기쁘시게 하기 때문이다. 또한 그것이 지켜보는 자들에게 더 의미가 있어서다.

예수님이 선택하신 제자들을 보라. 예수님이 인재 중의 인재를 찾기 위해 치열한 오디션과 면접을 통과하게 하셨던가? 영화에서는 최고의 인재로 특수 임무 팀을 꾸리는 장면이 심심치 않게 등장한다. "여긴 마이클이야. 변장의 귀재지. 여긴 톰이야. 폭파 전문가. 또 여긴 최고의 해킹 전문가 잭이야."

그러나 예수님은 흔한 어부들을 비롯한 몇 사람에게 그저 따라오라고만 말씀하셨다. 그것이 전부였다. 그런데 예수님이 사역할 당시는 그토록 안타깝게만 보이던 그들의 약함이 결과적으로 그들이 증언한 것의 폭발력을 수백 배로 증폭시키는 기폭제가 되었다. 예수님이 승천하신 뒤 베드로와 요한은 종교 지도자들 앞에서도 전혀 주눅 들지 않고 담대하게 말했다.

> 그들이 베드로와 요한이 담대하게 말함을 보고 그들을 본래 학문 없는 범인으로 알았다가 이상히 여기며 또 전에 예수와 함께 있던 줄도 알고(행 4:13).

하나님은 그들의 교육 수준이나 재능이 부족함에도 '불구하고' 영광을 받으신 게 아니다. 오히려 그 부족함 '때문에' 하나님은 더 큰 영광을 받으셨다. 그들은 어디 하나 특별할 데 없는 보통 사람들이었다. 그래서 그들이 놀라운 일을 했을 때 사람들이 더 주목하고 놀랄 수밖에 없었다. 그들의 약함은 하나님의 능력을 밝게 부각시키는 어두운 배경과도 같았다.

코리 텐 붐은 독일 강제수용소에서 예수님의 증인으로 살았던 경험담을 담은 책《주는 나의 피난처》(The Hiding Place, 생명의말씀사 역간)

의 저자로 잘 알려져 있다. 하지만 그녀는 그보다 덜 알려지긴 했지만 *Tramp for the Lord*(주님을 위한 도보여행)란 책을 쓰기도 했다. 이 책에서 그녀는 냉전 시기에 기독교를 핍박하던 러시아에서 한 여인을 만났던 이야기를 전해 준다.

이 여인은 늙고 병들어 소파에 푹 기대어 앉아 있었다. 다발성 경화증이 여인의 몸을 망가뜨릴 대로 망가뜨렸다. 몸이 사방으로 뒤틀려, 쿠션에 의지해야만 겨우 앉을 수 있었다. 거동이 일체 불가능해서, 식사부터 배변까지 모든 면에서 남편의 도움을 받아야 했다. 몸 전체에서 그녀가 움직일 수 있는 부분은 오른손의 집게손가락이 유일했다. 그 외에 다른 부분은 석고상이나 다름없었다.

그러나 이 여인은 그 손가락 하나로 놀라운 일을 해냈다! 집게손가락 하나는 밤낮으로 타자기 자판 위를 움직여 단어와 문장, 문단을 만들어 냈다. 그녀는 성경과 여러 기독교 신앙 서적을 러시아어로 번역하는 사역을 했다.

주름 가득한 그 손가락 하나는 철자 하나를 치려면 한참이 걸렸다. 하지만 그 느린 움직임으로 차근차근 책 한 권을 완성해 가는 모습이란 감동 그 자체였다.

어느 날 코리 텐 붐이 그 여인의 집을 방문했다. 소파에 묶여 있는 뒤틀리고 뼈만 앙상한 몸을 보자니 깊은 연민이 밀려왔다. '오, 주님, 이 불쌍한 여인을 왜 치유해 주시지 않나요?'

여인의 남편은 코리 텐 붐이 말할 수 없이 안타까워하는 모습을 보고 이렇게 말했다. "아내가 아픈 데는 하나님의 특별한 목적이 있답니다. 이 도시의 모든 그리스도인은 비밀경찰의 철통같은 감시를 받지요. 하지만 아내가 오랫동안 중병을 앓아 온 탓에 이곳은 아무도 들여다보지 않는답니다. 덕분에 아내는 비밀경찰에게 들키지 않고 번역을 할 수 있는 유일한 사람이 되었습니다."

하나님이 이 여인의 약함에도 불구하고 역사하셨다는 말은 정확한 표현이 아니다. 오히려 하나님은 그녀의 약함을 통해 더 큰 영광을 받으셨다. 이 여인이 측은한가? 나도 그렇다. 하지만 제발 사라졌으면 하는 그것, 이 여인의 생명을 파괴하는 그것, 극심한 고통을 유발하는 그 뾰족한 가시, 바로 그것 덕분에 이 지독히 연약한 여인은 하나님 나라에서 누구보다 강한 사람이 될 수 있었다.[1]

▲▲ 내 약함을 마주하는 용기

당신의 약점은 무엇인가? 혹시 잘 모르는가? 하긴, 나도 그렇다. 나도 여전히 내 약점을 찾고 있는 중이다. 우리는 약점을 세상에 숨기는 건 둘째 치고 우리 자신에게까지 숨기는 존재들이니 말이다.

내가 생각하는 내 첫 번째 약점은 '약점을 숨기는 것', 바로 교만과 열등감이다. 내 교만과 열등감은 서로 작당해서 볼품없는 것은 모조리 숨기기 위해 애쓴다. 하지만 나는 그리스도의 제자로서 내 약점을 오히려 기뻐해야 한다는 사실을 날마다 더 깊이 깨달아 가고 있다. 내 약점은 복음 선포를 위해 최적화된 소극장이다. 하지만 내 첫 번째 약점인 놈들은 일부러 내 약점을 무시하려고 한다. 솔직히, 나는 내 약점이 뭔지 알고 싶지 않다. 내 약한 모습을 마주할 용기가 없기 때문이다. 계속해서 나는 잘났다고 자기최면을 걸며 살고 싶다.

고교 시절에 한 친구와 함께 열심히 헬스클럽을 다녔는데 그 친구는 100킬로그램에 육박하는 역기를 들 수 있었다. 물론 그 정도는 나도 충분히 들 수 있었다. 단, 아무도 보지 않을 때만. 그래서 헬스클럽이 텅 빌 때까지 기다렸다. 그러고 나서 트레이너가 절대 하지 말라고 신신당부한 행동을 했다. 도와줄 사람이 아무도 없는 상태에서 내 한계치까지 바에 원반을 끼운 것이다.

이쯤에서 당신 머릿속에 나머지 그림이 다 그려졌을 것이다. 내가 결국 역기를 들어 올리지 못하고…… 역기를 내리다가 목에 걸려 도와 달라고 외치지만 주변에 아무도 없고…… 마침내 이 이야기에서 하나님의 사자를 상징하는 덩치 큰 남자가 들어와 나를 구해 주고…… 그래서 우리가 약점을 인정하고 하나님께 부르짖어야 한다는 교훈을 줄 거라고 생각할 것이다.

틀렸다! 나는 벤치에 누워 바를 꽉 잡고 역기를 들어 올릴 준비를 했다. 순간, 아드레날린이 솟구치는 것을 느꼈다. 일단 그 기분을 억누르고 왼쪽을 봤다. 그리고 오른쪽도. 겹겹이 끼워져 있는 역기가 태산처럼 보였다. 그래서 일어나 역기를 제자리에 갖다놓고 헬스클럽을 나왔다. 그러고 나서 그 일을 아무에게도 말하지 않았다. 역기를 들지 않은 것은 절대 들 수 없다고 확신해서가 아니었다. 혹시

라도 들지 못하면 내가 약하다는 사실을 스스로 알게 될 텐데 그러고 싶지 않았기 때문이다. 그 뒤로 내가 그 역기를 들 수 있었을지도 모른다는 생각을 계속 떨쳐 버릴 수 없었다. 하지만 내 약함을 마주하는 것에 대한 두려움을 떨쳐내기 전까지는 그 답을 영원히 알 수 없다.

역기는 그렇다 치자. 내 삶이 그런 패턴에 빠져 있다면 정말로 큰일이다. 내가 내 약점을 마주할 용기가 없어서 도전을 회피한 적이 얼마나 많은가.

예수님은 우리가 날마다 그 목표를 향해 전진함으로써 그분의 복을 누리기를 원하신다. 하지만 우리는 약해서가 아니라 약함을 숨기려고 하는 탓에 정말 많은 복을 놓친다. 우리는 약함을 기뻐하기보다는 약하지 않은 척할 때가 얼마나 많은가. 최소한 우리는 자신의 약함에 관해 되도록 생각하지 않으려고 한다.

바울은 자기 앞에 놓인 난관에 관한 이야기를 하면서 고린도 교회에 보내는 두 번째 편지의 포문을 열었다.

우리가 …… 힘에 겹도록 심한 고난을 당하여(고후 1:8).

역기가 너무 무거워 보였다. 바울이 속한 팀은 눈앞의 거대한 장애물에 두려움을 느끼고 있었다. 스스로 너무 약해서 도저히 눈앞의 일을 해낼 수 없을 것만 같았다. 그래서 그들은 모든 것을 포기하려고 했는데…….

농담이다. 그들은 끝까지 포기하지 않았다.

> 우리로 자기를 의지하지 말고 오직 죽은 자를 다시 살리시는
> 하나님만 의지하게 하심이라(고후 1:9).

예수님은 죽음에서 살아나심으로써 궁극의 역기를 들어 올리셨다. 바로 이것이 진정한 '힘'이다. 주님은 우리 자신의 힘이 아닌 그분의 힘을 의지하라고 말씀하신다. 우리가 실패할 때, 너무 약할 때, 우리 자신의 끝에 이르렀을 때, 그때는 그분을 의지하는 수밖에 다른 방법이 없다. 그때 우리는 비로소 그분의 능력을 발견하게 된다.

우리 교회 사역자들은 종종 사역에 도움이 되는 책을 선정해 함께 읽고 공부한다. 몇 년 전에는 *Strengths Finder*(강점 찾기)란 책을 읽었다. 이 책은 자신의 다섯 가지 주요 강점을 찾기 위한 온라인 검사도 부록으로 제공한다. 꽤 유익한 책이었다. 누구에게 어떤 기술이 있는지 찾아 서로 보완하는 데 큰 도움이 되었다. 그때 많은 사역자가 자신의 다섯 가지 강점을 출력해서 사무실 문에 자랑스럽게 붙여 놓았다.

하지만 내내 내 머릿속에서 한 가지 생각이 떠나질 않았다. '약점 찾기란 제목의 책을 읽는 것이 우리에게 훨씬 더 도움이 되지 않았을까?' 물론 그런 제목의 책을 찾기는 쉽지 않다. 그런 책은 많이 팔릴 리가 없으니까. 사람들은 강점을 좋아한다. 하지만 약점은? 알고 싶지도 않고 알아도 인정하고 싶지 않다. 그러나 하나님의 강점은

우리의 약점을 통해 가장 환하게 빛난다. 그렇다면 우리의 문에 오히려 약점을 붙여 놓아야 옳지 않을까?

진정한 보물을 찾으러 날마다 떠나자

여든두 살의 괴짜 억만장자 포레스트 펜은 보물 상자에 3백만 달러어치의 금화와 다이아몬드, 에메랄드를 가득 채워 뉴멕시코 주 어딘가에 묻었다. 그런 다음, 아무나 그것을 찾아서 가지라고 세상에 발표했다.

이 모든 일은 그가 1988년에 암 선고를 받으면서 시작되었다. 펜은 보물을 묻고 나서 사막에 들어가 생을 마감할 생각이었다. 그렇게 되면 숨겨진 보물이 하나의 유산이 될 거라고 생각했다. 결국 그는 암을 이겨 냈지만 보물찾기 프로젝트를 계속해서 진행했다.

그는 보물찾기를 위해 매우 독특한 지도를 제공했다. 시를 써서 그 안에 아홉 개의 단서를 숨겨 놓은 것이다. 옛 만화영화에서 영감을 얻었을지도 모르겠다. 아무튼 그는 아주 분명한 철학을 갖고 있었고, 자서전 *The Thrill of the Chase*(스릴 넘치는 추적)에 그 철학과 보물찾기를 위한 힌트를 풀어 놓았다.

그가 이 보물찾기를 통해 온 세상에 선포한 메시지는 이것이다. '텔레비전을 꺼라! 비디오 게임에서 손을 떼라! 거실 화면 속 인물들의 모험에 대리만족하지 말고 진짜 모험을 하라! 진짜 보물을 찾아 밖으로 나가라!'

바로 진정으로 가치 있는 것을 추구하라는 것이다. 언제까지 〈보물섬〉 DVD만 볼 것인가? 문을 박차고 나가 당신 자신의 이야기를 펼치라. 인생의 가장 좋은 것이 어딘가에 묻혀 있다. 그것을 찾아야 한다. 어디를 파야 할지 알아낸 다음, 가서 그것을 쟁취해야 한다. 포레스트 펜은 사람들에게 이제 답답한 가상의 삶에서 벗어나 실제로 멋진 삶을 살라고 외친다.

모험심이 마구 솟아나지 않는가? 그가 던진 도전에 수많은 사람이 숨은 보물을 찾아 떠났다. 하지만 아직까지 보물은 인간의 손길을 허락하지 않고 있다. 가끔 원치 않는 상황이 벌어질 때마다 그는 새로운 단서를 제공한다. 예컨대, "묘지에는 없으니 애꿎은 무덤을 파지 마라." "역사 유적에도 없으니 국보를 훼손하지 마라."

이 보물찾기는 우리의 아픈 데를 건드린다. 인생의 보물도 찾아질 듯 찾아지지 않으니까 말이다. 인생 자체가 일종의 보물찾기다. 먼저 우리는 어디를 팔지 알아내야 한다. 그러려면 지도를 찾아야 한다. 영화에서 보면 주인공이 은행을 믿지 못한 해적이 남긴 낡은 보물지도를 발견한다. 문제는 그 지도가 진짜냐는 것이다.

한 친구가 말한다. "바로 이거야! 이건 진짜 지도야. 보물은 바로 '성취'라는 섬에 묻혀 있어." 그래서 탐험을 시작한다. 지독히 힘든 탐험이다. 죽을 고비를 넘겨 가며 섬에 도착해서 허리가 휘도록 땅을 판다. 주6일에 야근을 밥 먹듯이 해 가면서 한참을 판 뒤에 마침내 '그것'(인정이나 승진, 높은 연봉)을 발견한다. 하지만 막상 파서 보니 딱히 보물처럼 보이지 않는다.

어떤 이는 부(富)의 섬 지도를 뚫어져라 쳐다본다. 또 다른 이는 사랑의 보트가 자신을 보물섬으로 안내할 거라 믿는다. 탐험의 스릴도 좋지만 우리가 정말로 원하는 건 진정으로 가치 있는 보물을 찾는 것이다. 하지만 위와 같은 섬을 백날 뒤져 봐야 U2의 노래 가사처럼 "내가 찾는 것을 아직도 찾지 못했네"(I still haven't found what I'm looking for)라고 노래할 수밖에 없다.

▲▲ 세상의 이성을 뒤흔드는 가르침

성경은 인생의 진짜 보물이 숨겨져 있으며, 어디를 찾아야 할지 우리가 알아야 한다고 말한다.

이는 너희가 죽었고 너희 생명이 그리스도와 함께 하나님 안에

감추어졌음이라(골 3:3).

바울은 이 삶을 살려면 먼저 죽어야 한다고 말한다. 성경 안에는 "잠깐! 뭐라고?"라고 외치게 만드는 역설이 가득한데 이 구절은 그런 역설 중에서도 단연 으뜸이다.

나의 끝이 진정한 삶이 시작되는 곳이다. 그래서 예수님은 내가 죽어야 진정으로 살 수 있다고 말씀하신다. 예수님은 두 가지 전혀 다른 길에 관한 말씀으로 역사상 가장 위대한 설교를 갈무리하셨다. 하나는 생명으로 이어지는 길이고, 다른 하나는 멸망으로 이어지는 길이다.

좁은 문으로 들어가라 멸망으로 인도하는 문은 크고 그 길이 넓어

그리로 들어가는 자가 많고 생명으로 인도하는 문은 좁고 길이

협착하여 찾는 자가 적음이라(마 7:13-14).

이것이 예수님이 우리에게 남기신 지도의 첫 번째 단서라고 할 수 있겠다. 좁은 문을 찾아라. 아름답게 장식된 화려한 문은 아니다. 좁은 문은 대부분의 사람이 무시하는 문이다. 하지만 이 문으로 들어가면 호시절이 시작된다. 맞는가? 잘못 짚었다. 이 문으로 들어가려면 발자국이 거의 없는 거친 길을 예상해야 한다. 그야말로 죽음의 땅을 지나야 한다. 하지만 결국에는 생명으로 이어진다. 예수님

의 역설적인 가르침 중에서 이것만큼 세상의 이성을 뒤흔드는 가르침도 없다. 본회퍼의 말마따나 그리스도의 부르심은 와서 죽으라는 부르심이다.

죽음은 아무도 좋아하지 않는 단어다. 그래서 우리는 좀 더 순화된 표현으로 죽음의 충격을 줄여 보려고 한다. '돌아가셨다.' '우리 곁을 떠나가셨다.' '먼저 가셨다.' '요단 강을 건너셨다.' 점잖은 표현을 딱 질색하는 사람들은 '천국으로 소풍 갔다'와 같은 유쾌한 표현으로 스스로를 달래기도 한다. 이렇게 우리는 죽음이란 단어를 순화할 뿐, 있는 그대로 받아들이지는 못한다.

말만 그런 게 아니라 죽음이란 현실을 부인하며 살기도 한다. 우리는 마치 천국의 존재를 믿지 못하는 사람처럼 죽음을 피하려고 발버둥을 친다. 우리가 평생 예배해 왔던 분을 만나러 가는데 억지로 가는 것처럼 질질 끌려간다면 누가 복음을 믿으려고 하겠는가.

이렇게 우리는 죽음을 싫어하지만 예수님은 죽으라고 명령하신다. 물론 육체적인 죽음을 말씀하신 게 아니다. 예수님은 우리 자신에 대해 죽으라고 말씀하신 것이다.

세상은 자신을 위해서 살라고 우리를 부추긴다. 하지만 세상 어디를 뒤져 봐도 진정한 삶으로 가는 지도는 보이지 않는다. 오랜 세월 동안 자신을 위해서 산 사람이 그것이 잘못된 선택이었음을 인정하기란 쉽지 않다. 너무 멀리까지 왔다. 이 여행에 너무 많은 것을 투자했다. 그래서 오히려 액셀을 더 세게 밟는다.

나는 잘못을 인정하는 것을 죽기보다 싫어한다. 나는 칙필레

(Chick-fil-A) 패스트푸드점이 주일에는 문을 닫는다는 사실을 깜박하고 그만 드라이브 스루(drive-through: 차에 탄 채로 이용할 수 있는 식당-옮긴이) 안으로 진입하곤 한다. 그런데 이번에는 설상가상으로 딸과 함께 그런 실수를 저지르고 말았다. 나는 창피해서 화끈거리는 얼굴을 애써 진정시키며 차를 뺐다. 그때 다른 차가 들어오자 딸이 내게 말했다. "아빠, 오늘은 문이 닫혔다고 알려 줘야 하지 않아요?"

물론 나는 그렇게 하지 않았다. 그러려면 그 사람에게 나도 똑같은 실수를 했다고 인정해야 하니까. 나는 그 작은 실수를 묻어 두는 편을 선택했다.

잘못된 길을 선택했을 때 우리는 자신에게나 남들 앞에서나 그것을 인정하지 않으려고 한다. 하지만 가끔씩 부유한 운동선수나 성공 사업가, 유명한 가수가 우울증과 절망감에 시달린다는 사실을 털어놓는다. 심지어 유명인이 스스로 목숨을 끊었다는 이야기도 심심치 않게 들린다. 그럴 때면 잠시나마 우리는 '지금까지 내가 착각 속에서 살아왔나?' 하는 생각을 하게 된다. 그들의 길은 모두가 달리고 싶어 하는 추월차선이었다. 그들은 돈과 명예를 다 가진 사람들이었다. 그런데 어떻게 삶다운 삶을 살지 않을 수 있는가?

두 가지 상반된 길이 있다. 한 길은 좁고 힘든 길이다. 이 길의 이름은 '죽음'이지만 생명으로 이어진다. 다른 길은 붐비는 길이다. 이 길의 이름은 '생명'이지만 죽음으로 이어진다. 마태복음 16장 24-25절에서 예수님은 그분을 따라 좁은 길로 가면 무엇이 기다리고 있는지를 알려 주셨다.

누구든지 나를 따라오려거든 자기를 부인하고 자기 십자가를 지고 나를 따를 것이니라 누구든지 제 목숨을 구원하고자 하면 잃을 것이요 누구든지 나를 위하여 제 목숨을 잃으면 찾으리라.

▲▲ 안락한 여정이 아니다

어떻게 해야 자기 자신에 대해 죽을 수 있을까? 나는 죽은 사람을 누구 못지않게 많이 봤다. 검시관이 들어오기 전에 시체 보관실에 들어가기도 했고, 가족들이 아버지와 남편의 임종을 지켜볼 때 곁을 지키기도 했다. 열린 관 옆에 서서 친구와 가족들이 지나가며 마지막 작별을 고하는 모습을 지켜보기도 했다. 고인들을 욕되게 하려는 뜻은 절대 아니지만 그런 경험을 통해 죽은 사람들의 공통점 하나를 발견했다.

죽은 사람들은 남들이 자신을 어떻게 생각하는지에 관심이 없다. 죽은 사람들은 자신의 옷이 얼마나 멋지고 예쁜지에 전혀 신경을 쓰지 않는다. 죽은 사람들은 주식 투자에 빠져들지도 않고 승진에도 관심 없다. 죽음은 세상적인 모든 것을 무의미하게 만든다. 죽으면 자기 자신과 자신이 가진 모든 것을 완전히 내려놓을 수밖에 없다. 우리 자신에 대해 죽으라고 말씀하실 때 예수님은 바로 이런 상태를 염두에 두고 말씀하신 것이다. 이는 세상의 모든 것이 우리에 대해 죽고 우리도 그것에 대해 죽는 것을 말한다.

이 책은 일종의 길이다. 원한다면 보물을 찾으러 가는 길이라고 불러도 좋다. 아무튼 이 길 위에서 우리는 예수님의 가르침을 통해 내내 그분을 따라왔다. 우리는 예수님이 세상의 시각을 어떻게 갈아 엎으시는지를 살펴봤다. 예수님은 우리의 사고방식을 뿌리째 뒤흔드신다. 그분을 따르려면 우리가 한 번도 쓴 적이 없던 마음의 안경을 통해 보는 법을 새롭게 배워야 한다. 그분처럼 생각하기 위한 열쇠는 철저한 항복이다. 이제껏 통하지도 않았던 옛 방식을 고집스레 붙잡고 있지 말고 과감히 내려놓아야 한다.

제자들은 예수님의 방식을 이해하기 힘들었다. 그래서 틈만 나면 누가 가장 큰지를 놓고 말다툼을 벌여 예수님을 실망시켰다. 성경에 기록된 것만 세 번이다. 그들은 가장 낮은 자가 가장 높은 자라고 가르치고 매일 몸소 종의 본을 보여 주신 스승을 따르고 있었다. 하지만 평생 형성되어 온 사고방식에서 벗어나는 건 결코 쉽지 않았다. 제자들은 이 세상의 나라와 하나님 나라를 융화시키려고 했다. 어쩌면 당신도 이 책을 읽는 동안 그런 시도를 했을지 모르겠다. 하지만 자신의 끝에 이르려면 이 세상을 보는 방식이 완전히 달라져야 한다. 세상적인 기준에서 나의 끝에 이르는 여행은 상식적이지도 않고 쉽지도 않다.

제자들에게 이것은 궁극적으로 삶과 죽음의 문제였다. 자신을 위해서 살 것인가, 자신에 대해서 죽을 것인가! 그들은 양단간에 선택해야 했다. 지금 예수님은 우리에게도 똑같은 선택을 요구하신다.

지금껏 나는 플로리다 주 네이플스 리츠칼튼호텔에서 입었던 목욕가운보다 더 부드러운 가운은 입어 본 적이 없다. 네이플스 해변에서 결혼식 주례를 봤는데 신랑과 신부가 고맙게도 그 호텔에서 하룻밤을 재워 주었다. 그런 고급 숙소에서 머물게 될 줄은 생각지도 못했다. 그곳에서의 하룻밤은 그 가운만큼이나 편안했다. 배가 고플 때는 전화만 걸면 즉시 아주 근사한 햄버거를 대령해 주었다. 그것도 턱시도를 입고 점잖게 말하는 신사가 배달해 준다.

그런 호텔에 가면 스파에서 묵은 피로를 확 풀어 주는 마사지도 받을 수 있다. 그래서 어른도 갑자기 '자신'만 생각하는 응석받이로 변한다. 샤워가 끝나고 수건을 바닥에 던져도 청소를 담당하는 룸메이드가 알아서 정리해 주니까 말이다. 호텔 룸메이드는 이불만 개 주는 게 아니라 이불을 개도록 해 줘서 고맙다는 뜻으로 베개 위에 초콜릿까지 놓고 간다. 사람들은 이런 호화로운 서비스를 받기 위해 비싼 비용을 지불한다.

'이런 게 인생이지!' 우리는 섬김 받기를 원한다. 우리는 남들이 우리의 모든 필요를 지극정성으로 채워 주기를 원한다. 현실에서 그럴 수 있다는 건 돈과 권력을 손에 넣었음을 뜻한다. 우리는 보물지도를 펼치면서 진정한 보물을 얻으러 가는 노선이 세상의 오성급 호텔도 거쳐가기를 간절히 바란다.

하지만 예수님은 그런 안락한 코스는 여정 안에 없다고 딱 잘라 말씀하신다. 예수님이 마태복음 16장 24-25절에서 공개하신 보물을 향해 가는 길을 다시 소개한다.

1. 자기 자신을 부인하라.

2. 자신의 십자가를 지라.

3. 그분을 따르라.

4. 죽을 각오를 하라.

아무리 봐도 별로 구미가 당기지 않는 여행 계획이다. 그래서 실제로 보물을 손에 넣는 이가 극도로 적은 것이다. 죽을 각오로 십자가를 지고 가장 좁은 문으로 들어가 가장 거친 길로 가야 하니 관심을 갖는 이가 적은 것도 무리는 아니다. 하지만 이 길로 들어가 예수님의 발걸음을 성실하게 따라가면 정말로 멋진 일이 일어난다. 하나뿐인 참된 삶을 발견하게 된다. 앞서 말했듯이, 내가 끝나는 지점은 진정한 삶이 시작되는 지점이다.

▲▲ 몸소 보여 주신 진리

복음서 곳곳에서 예수님은 가르침을 삶으로 실천해 보이셨다. 그중에서도 요한복음 13장에서는 자신의 끝에 이른 삶이 어떤 것인지를 똑똑히 보여 주셨다. 이 삶은 세상의 방식과 하나부터 열까지 다르다. 이는 지배가 아닌 섬김을, 교만이 아닌 겸손을 추구하는 삶이다. 예수님은 이런 역설적인 진리를 가르치고 몸소 본을 보여 주셨다.

이 이야기는 우리를 한 집의 조용한 다락방으로 안내한다. 그곳에 예수님과 열두 제자가 앉아 있다. 몇몇 제자는 여전히 서열 다툼에 열을 올리고 있다. 이 길을 걸은 지 3년이나 지났건만 그들은 예수님이 몸소 가르치신 가장 중요한 진리를 여전히 이해하지 못하고 있다.

그래서 예수님은 이번에는 설교 대신 충격요법으로 그들을 깨우쳐 주기로 하신다. 예수님은 조용히 수건을 허리에 두르시고 대야에 물을 떠서 제자들의 발을 닦아 주기 시작하신다. 가장 높은 분의 지극히 겸손한 행동보다 더 강력한 설교는 없다.

스승이 제자를 섬기는 것 자체도 이상하지만, 이 장면은 정말 더 이상하다. 요한은 가룟 유다가 이미 예수님을 배신하라는 사탄의 유혹에 넘어갔다고 기술한다. 이제 유다는 스승을 원수들의 손에 넘겨줄 것이다. 또 요한은 "예수는 아버지께서 모든 것을 자기 손에 맡기신 것과 또 자기가 하나님께로부터 오셨다가 하나님께로 돌아가실 것을 아시고"(요 13:3)라고 기록한다.

다시 말해, 예수님은 자신의 신적 정체성을 완벽히 이해하셨다. 자신이 하나님이며 온 천지가 자기 손 안에 있다는 걸 정확히 알고 계셨다. 그런데도 기꺼이 배신과 체포, 매질, 조롱, 형식적인 심문, 십자가 처형의 굴욕을 받아들이셨다. 예수님은 자신의 지위가 지극히 높다는 사실을 알면서도 지극히 낮은 길을 걷고 겸손한 자세를 취하셨다. 자신을 죽음으로 몰아갈 자의 발을 씻기는 것, 이것보다 더 낮은 자세는 없으리라.

전부를 쏟아 사랑하고 가르쳤지만 결국 위험의 조짐이 보이자마자 스승을 헌신짝처럼 버리고 도망칠 자들. 지금 예수님은 그런 제자들에게 둘러싸여 있다. 가룟 유다는 돈 몇 푼에 스승을 팔 것이다. 베드로는 제 입으로 하나님의 아들이라고 선언했던 분을 한 번도 본 적이 없는 사람이라고 발뺌할 것이다. 3년간 수많은 무리를 가르치고 수많은 기적을 행하고 수많은 병자를 고치고 심지어 죽은 자까지 살리셨던 분이 얼마 있으면 겨우 요한과 몇몇 여인만 따르는 가운데 불명예스러운 처형 장소로 끌려갈 것이다. 미친 듯이 열광하던 군중은 다 어디론가 사라졌다. 조롱하는 자들과 피에 굶주린 자들의 손에 넘겨질 시간이 왔다.

예수님은 이 모든 것을 알고 계셨다. 당신과 나 같으면 보나마나 도망쳤을 것이다. 우리를 죽이려는 자들을 혼내 주기 위해 힘을 남용했을지도 모른다. 최소한 제자들을 한바탕 꾸짖기라도 했을 것이다.

그러나 예수님은 묵묵히 제자들의 더러운 발을 닦아 주셨다. 제자들은 충격을 받았다. 하지만 우리처럼 상황을 정확히 알았다면 훨씬 더 큰 충격을 받았을 것이다. 그들은 가룟 유다가 무슨 짓을 꾸미는지 꿈에도 몰랐다. 십자가를 예상하지도 못했다. 하지만 그렇더라도 이 장면은 여전히 충격적이다.

> 저녁 잡수시던 자리에서 일어나 겉옷을 벗고 수건을 가져다가
> 허리에 두르시고 이에 대야에 물을 떠서 제자들의 발을 씻으시고
> 그 두르신 수건으로 닦기를 시작하여(요 13:4-5).

당시 길은 먼지투성이었는데, 식사는 보통 바닥에서 했다. 그래서 발 씻기는 매일 반드시 해야 하는 일과였다. 단, 이 일은 가장 낮은 종의 몫이었다. 제자들보다도 더 낮은 노예가 해야 하는 일이었다. 그래서 어떤 제자도 자원하지 않았다. 더군다나 누가 더 큰 자인지를 놓고 다투는 와중에 이런 천한 일에 스스로 나설 리 만무했다.

당시 그 방 안에는 종이 없었던 것으로 보인다. 제자들은 직접 발을 씻느니 그냥 발이 더러운 채로 밥을 먹을 생각이었다. 그때 엉뚱하게도 예수님이 무릎을 꿇고 제자들의 발에 묻은 때를 밀기 시작하신다.

하나님은 내가 설교하는 그 주제로 내 잘못을 깨닫게 하실 때가 많다. 그래서 요즘은 다음 주 설교를 준비할 때 이번에는 하나님이 나에 관한 어떤 낯 뜨거운 진실을 보여 주실까 오히려 기대하게 되었다. 이 주제에 관한 설교를 준비할 때도 그런 기대를 했어야 하건만. 어쨌든 이야기를 해 보자면, 동네 슈퍼에서 몇 가지 물품을 사서 계산대 앞에 줄을 서 있었다. 내 앞에는 한 사람밖에 없었고 뒤로는 서너 명이 서 있었다. 금방 계산을 마치고 나갈 수 있을 것 같았다. 줄을 서서 기다리는 건 내 체질에 맞지 않는다.

그런데 내 앞의 여자가 쿠폰을 사용할 뿐 아니라 수표로 계산을 하는 게 아닌가. '수표와 쿠폰? 한나절은 걸리겠군!'

하지만 이내 마음을 진정시켰다. 요한복음 13장에 관한 설교를 준비하는 때인 만큼 나를 부인하고 남들을 섬기는 일에 집중하고 싶었다. 이 작은 유혹에 넘어가지 않겠다고 하나님 앞에 작은 목소리로 다짐했다.

쿠폰이 하나씩 처리되었다. 여자는 이번에는 지갑을 뒤져 수표에 개인 정보를 쓸 펜을 찾기 시작했다. 한참 만에 펜이 나왔는데 안타깝게도 잉크가 거의 떨어진 펜이었다. 여자가 잉크를 나오게 하려고 펜으로 종이 위를 마구 긁적이는 모습을 보자니 나도 모르게 식은땀이 났다. '주님, 흔들리지 않겠습니다.' 그렇게 재빨리 마음을 가다듬었다.

이번에는 계산대 직원이 나를 시험했다. "이 제품의 가격을 확인해 봐야겠어요. 아무래도 할인하는 품목인 것 같아요." 내 만면에 불편한 마음을 드러내는 어색한 미소가 번졌다. '참자. 참아. 나에 대해 죽자.'

그때 한 음성이 들렸다. 그 순간에는 하늘에서 들려온 음성이라고 생각했다. '화장품 코너의 계산대로 가 보라.' 아! 이 음성은 내 이타적인 태도에 대한 하나님의 보상이 분명했다. 나는 즉시 몸을 돌려 화장품 코너로 돌진했다. 하나님은 온유하고 인내심이 많은 자에게 복을 주신다. '하나님, 좋은 교훈을 주셔서 감사합니다.'

그런데 화장품 코너의 계산대에 막 도착하기 직전, 원래 내 뒤에 서 있던 남자가 헉헉거리며 달려와 내 바로 앞으로 카트를 밀어 넣었다. 나중 된 자가 먼저 된다는 원칙을 이렇게 써먹다니.

게다가 내 물건은 두세 개에 불과한 반면 이 남자는 쇼핑 카트에서 물건을 끝없이 꺼냈다. '누가 이런 작은 가게에서 카트를 써! 이럴 거면 대형 마트를 갈 것이지.' 방금 작은따옴표가 붙은 것을 봤는가? 나는 어디까지나 머릿속으로만 투덜거렸다고 '생각'했다. 그런데 사실은 나도 모르게 그 말이 실제로 입 밖으로 나온 것이었다.

내 말을 들은 남자는 고개를 돌려 나를 째려봤다. 나는 혹시라도 그가 나를 뒤에서 우물거리는 겁쟁이로 생각할까 봐 다시 한 번 똑똑히 말해 주기로 했다. '어이, 아저씨, 내가 당신 앞에 서 있던 걸로 아는데.'

설마 내가 이를 악물고 그런 식으로 말했겠는가? 아니다. 나는 최대한 사람 좋은 미소를 지어 보였을 뿐이다. 단, "아저씨"란 말은 했다. 아무리 호의적인 미소를 지어도 "아저씨"란 표현은 기분 나쁘게 들릴 수 있다. 그래서 미소에 이어 말로 실수를 만회하기로 했다. 사실, 설교자들은 말로 상황을 모면하는 것을 좋아한다. 다만 이번에는 좀 더 긴 말이 필요했다. "정말 빠르시네요. 물건을 사러 오기 전에 스트레칭을 해야 하는 줄 미처 몰랐네요."

남자는 아무 대꾸도 없이 계산대 위에 물건을 한 무더기 쏟아놓았다. 그때쯤 처음 줄을 섰던 곳을 돌아보니 어느새 흐름이 원활해져 있었다. 쿠폰과 수표로 나를 괴롭히던 여자는 가 버린 지 오래였고, 사람들은 빠른 속도로 계산대를 통과하고 있었다. '줄만 바꾸지 않았다면 벌써 집에 가서 쉬고 있을 텐데.'

그런데 남자가 갑자기 나를 보고 말을 했다. "바빠서요." 딱히 사과처럼 들리는 말투는 아니었다. 게다가 남자가 산 물건들을 보니 어이가 없었다. '바쁜 사람이 춤추는 산타클로스를 사?'

하지만 내 입에서는 마음과 다른 말이 나왔다. "아, 바쁘시군요."

"음, 저는 폐암 환자예요." 왠지 지어 낸 말 같았지만 아무튼 남자는 그렇게 말했다. 남자는 암 카드를 꺼냈다. 아무래도 곤란할 때마다 쓰는 카드 같았다. 그런데 무슨 그런 말을 그렇게 살벌한 태도로 한담.

물론 그 즈음 내 마음은 풀려 있었어야 했다. 나를 부인하고 남들의 종으로 살기로 했던 결심을 떠올렸어야 했다. 불쌍히 여기는 표정을 짓고 기도를 해 주었어야 했다. 하지만 나는 여전히 인상을 잔뜩 찌푸린 채 씩씩거리고 있었다.

마침내 계산을 마치고 나가는데 가게 스피커를 통해 해리 코닉 주니어가 부른 〈오 거룩한 밤〉이 흘러나왔다. 그런데 3절을 듣는 순간, 머리가 떵했다. "주님의 법은 사랑 평화로다. 우리도 다 같이 사랑하세."

▲▲ 목욕가운을 걸치는 삶 vs 수건을 두르는 삶

매일이 새로운 좁은 문이다. 자신에 대해 죽는 것의 어려운 점은 매일같이 죽어야 한다는 것이다. 끊임없이 선택을 해야 한다. 나를 위해서 살 것인가? 아니면 내 십자가를 지고 그리스도를 위해 살 것인가? 슈퍼에서, 주유소에서, 집 거실에서, 막히는 도로 위에서. 매일같이.

내가 사랑하고 존경하는 사람들과 내 삶을 편하게 해 줄 수 있는 사람들만 섬겨서는 나에 대해 죽는 삶이라고 말할 수 없다. 정말 보기 싫은 사람들과 도저히 이해할 수 없는 사람들, 심지어 내게 상처를 준 사람들까지 섬길 수 있어야 진정으로 나에 대해 죽었다고 말할 수 있다. 무관심한 남편을 섬길 수 있겠는가? 허구한 날 바가지만 긁는 아내는? 반항하는 자녀는? 뒤에서 험담을 일삼는 직장 동료는? 길거리에서 만난 무례한 남자는? 고속도로에서 내 목숨을 위협하는 난폭 운전자는? 이런 사람까지 섬길 수 있으려면 나에 대해 죽어야 한다. 예수님이 가룟 유다의 발까지 씻기셨으니 이제 우리도 자신의 끝에 이르러 그분의 본을 따라야 할 때다.

리츠칼튼호텔과 부드러운 목욕가운의 삶은 섬김을 받는 삶이기 때문에 매력적이다. 하지만 그런 삶을 거꾸로 뒤집은 삶은 전혀 매력적이지 않다. '왜 나만 그래야 하는가? 남들을 이만큼 섬겼으면 이젠 다른 사람들이 나를 섬겨야 할 때도 되지 않았는가? 왜 나는 주변 모든 사람처럼 편하게 살 수 없는가?'

특권의식으로 인해 불만이 싹틀 때는 저기 우리의 시꺼먼 발을 닦고 계신 예수님을 내려다보라. 완벽하신 분이 최악의 푸대접을 받고 계신다. 육신을 입으신 하나님이 스스로 낮아져 종이 되셨다. 예수님은 우리가 아무것도 줄 수 없다는 걸 뻔히 알면서도 다 주시고 나서 아예 목숨까지 내놓으셨다.

예수님은 자신을 십자가에 못 박은 인간들을 위해 십자가에 달리시고 하나님 앞에서 그들을 위해 중보기도를 하셨다. 피를 흘리며 점점 호흡이 곤란해지면서도 처형자들이 자신들이 무슨 짓을 저지르고 있는지도 모르니 용서해 달라고 기도하셨다.

예수님은 사역의 끝, 이 세상 삶의 끝, 자신의 끝에 이르셨다. 하지만 그 끝에서 모든 것을 변화시킬 뭔가가 시작되고 있었다. 죽음과 고난, 희생의 끝에서 부활이 시작된다.

섬기기 어려운 사람들을 섬기려면 자신에 대해서 죽어야만 한다. 상처를 준 사람을 용서하기가 얼마나 어려운가? 하지만 그렇게 할 때 더없이 놀라운 복이 찾아온다. 원망과 분노로 타오를 때는 오히려 정반대되는 행동을 해야 그 지독한 마수에서 풀려날 수 있다. 용서는 스스로 만든 감옥에서 자신을 해방시키는 행위다.

다시 그 다락방으로 돌아가자. 예수님은 자신의 문제로 고민하기에도 바쁜 순간에 오히려 남들의 발을 씻어 주고 계신다. 삶이 뜻대로 풀리지 않을 때 인간적으로는 목욕가운을 입고 맛있는 음식을 먹으며 자신을 위로하고 싶지만, 이는 완전히 잘못된 처방이다.

자신을 위로해 봐야 위로가 되지 않는다. 자신이 힘들 때는 남들을 섬길 마음이 더더욱 생기지 않지만 섬김은 막강한 치유력을 발휘한다. 힘들 때는 친구들을 불러 위로와 섬김을 받고 싶은 게 인지상정이다. 하지만 예수님은 정반대의 행동을 하셨다. 오히려 철없는 제자들을 섬겨 주셨다. 그렇게 목욕가운 대신 수건을 걸침으로써 다가올 악몽을 이겨 낼 힘을 스스로 끌어모으셨던 건 아닐까?

인생의 풍랑 한복판에서 우리가 할 수 있는 가장 건강한 일은 다른 누군가를 섬기는 것이다. 그런데 우리의 실상은 어떠한가? 심지어 우리는 구유의 겸손함을 기억해야 하는 성탄절까지도 섬기는 날

이 아닌 섬김을 받는 날로 변질시켰다.

내가 이 글을 쓰는 지금, 우리 집 트리 아래는 선물상자들이 놓여 있다. 예전부터 가만히 살펴보니 우리 아이들은 매번 상자의 개수를 센다. 자신의 선물만 세는 게 아니라 자기보다 많이 받은 사람이 있는지 확인하려고 다른 형제들의 선물까지 꼼꼼히 센다. 어린아이들은 누구의 상자가 가장 큰지도 따진다. 그런데 어른이 되면 달라질까? 그렇지 않은 것 같다. 아내는 남편에게 이렇게 말한다. "올해는 아무것도 안 해 줘도 돼요." 하지만 연차가 꽤 쌓인 남편은 이 말을 곧이곧대로 받아들이지 않는다. 이 말의 진짜 뜻은 이렇다. '조르고 싶지는 않아요. 하지만 아무것도 해 주지 않으면 죽을 때까지 마음에 담아 두는 거 알죠?'

본래 인간은 자신을 가장 먼저 생각하는 존재다. 예수님은 자신을 부인하고 자신에 대해 죽으라고 말씀하셨지만 그것이 결코 쉽지 않다. 매일 아침 새로운 날이 시작되지만 우리는 여전히 이기적인 인간이다. 매일 아침 우리와 함께 옛 자아가 침대에서 일어난다. 그래서 우리는 날마다 의지적 행위로써 그리스도를 입어야 한다.

이윽고 세족을 마친 예수님은 제자들에게 자신의 본을 따라 서로의 발을 씻겨 주라고 명령하신다(요 13:14 참조). 여기서 '씻어 주다'에 해당하는 동사는 지속적인 행동의 의미를 함축하고 있다. 예수님은 한 차례의 활동을 명령하신 게 아니라 지금부터 계속 그렇게 하라고 명령하신 것이다. 제자들은 서열 다툼을 벌이고 있었다. 그러나 예수님은 이제부터 자신을 낮춰 서로의 아래로 들어가라고 말씀하신다. 예수님은 매일 모든 관계 속에서 자신의 끝에 이르라고 명령하신다.

목욕가운을 걸치는 삶, 곧 자신의 안위와 출세를 위한 삶을 살 것인가? 아니면 수건을 두르는 삶, 곧 자신의 끝으로 가 다른 사람들을 섬기고 격려하고 축복하는 삶을 살 것인가? 이것은 곧 죽음이다.

물론 예수님은 이 죽음이 생명으로 이어지는 죽음이라고 말씀하신다. 어떻게 그럴 수 있는가? 실제로 죽어 봐야만 이 역설의 의미를 제대로 이해할 수 있다. 나의 끝에 이를 때, 나를 부인할 때, 그때 비로소 우리는 제자들과 같은 끝없는 다툼에서 해방되기 시작한다. 그때 이기적인 삶의 억압과 외로움에서 벗어날 수 있다. 이런 삶에 대해서 죽으면 이제 그리스도를 위해 살 수 있다.

옛 삶의 굴레에서 벗어나지 못하고 계속해서 기어오르고 소유하고 쟁취하려는 사람들에게 예수님은 정신이 번쩍 들게 만드는 질문을 던지신다. "사람이 만일 온 천하를 얻고도 제 목숨을 잃으면 무엇이 유익하리요"(마 16:26). 다시 말해, 그토록 원하던 것을 잡고 보니 한낱 구름이라면? 막상 대저택, 중역실, 한정판 수입 차를 손에 넣고 보니 허탈하다면? 땅에 묻힌 보물 상자를 파 보니 빈 상자라면? 미친 듯이 달려가는 중에 자신도 모르게 영혼을 잃어버렸다면?

〈포세이돈 어드벤처〉는 거대한 풍랑을 만난 여객선에 관한 영화다. 바닷물이 무도회장으로 마구 들이닥치자 턱시도를 입은 남자들과 드레스를 입은 여자들이 비명을 지르며 갑판 쪽으로 달려간다. 아비규환 속에서 불은 다 꺼지고 배가 뒤집힌다.

선체 안에는 공기가 충분해서 배는 뒤집힌 상태에서도 금방 가라앉지 않는다. 하지만 공포에 휩싸인 승객들은 무조건 갑판 쪽으로 향하는 계단을 올라가기 시작한다. 문제는 갑판이 이제는 깊은 물속에 들어가 있다는 것이다. 이제는 배의 '맨 위'로 올라가는 게 곧 내려가는 것이다.

기존의 상하 개념에 의문을 던진 자들만이 생존한다. 남들은 죽음을 향해 올라가는 와중에 이 지혜로운 승객들은 배의 어두운 바닥까지 내려간다. 그 바닥에서 그들은 바다의 표면을 발견한다. 구조대원들은 그들이 선체를 두드리는 소리를 듣고 철판을 잘라 그들을 구해 낸다.

오직 예수님을 따라가야, 오직 십자가와 자기 부인의 길로 가야, 진정으로 살 수 있다.

▲▲ 매일의 결단, 매일의 실천

지금 주변(집, 일터, 사는 동네)을 돌아보며 목욕가운을 벗고 수건을 집어들 방법을 찾아보길 바란다. 나에 대해 죽고 나의 끝에 이르는 삶은 곧 매일의 결단과 '함께' 매일의 실천이 뒷받침되는 삶이다.

설교하거나 책을 쓸 때 나는 감동을 주기 위해서, 아니 솔직히 관심을 끌기 위해 아주 극적인 사례를 든다. 하지만 제자들의 발을 씻기신 예수님의 본보기는 단순한 실천이기 때문에 오히려 더 강렬하다. 자신의 끝에 이르면 더 이상 화려한 쇼로 다른 사람의 주목을 받는 것에 관심이 없어진다.

이런 이야기가 많이 나왔으면 하는 바람에서 이번 주에 내 책상 위로 올라온 간증 하나를 소개하고 마치고자 한다. 잭과 패스티 릴리 부부는 내가 설교하는 교회에 출석하는 성도들로, 성공한 사업가들이며 우리 지역에서 꽤 존경을 받고 있다.

성공한 사업가라고 하니까 으리으리한 집에서 살 줄 예상했다면 틀렸다. 이 부부는 꽤 허름한 동네에서 살고 있다. 부부는 몇 번이나 이사를 고민했지만 무엇보다도 부모님과 가까이 살고 싶어서 지금까지 이 동네를 떠나지 못하고 있었다. 뿐만 아니라 너무 바빠 새 집을 알아볼 틈도 없다.

어느 주일, 우리 교회에서 부부는 가난한 사람들에게 다가가 예수님의 사랑을 보여 주라는 설교를 들었다. 언제나처럼 그들은 그 말씀을 마음 깊이 새겼다. 구체적인 방법을 찾던 패스티는 근처에 사는 싱글맘과 노인들을 섬기라는 하나님의 음성을 느꼈고, 그들을 어떻게 섬겨야 할지 알기 위해 먼저 그들과 친해져야 한다고 판단했다. 그래서 팝콘과 핫도그, 레모네이드로 동네 파티를 계획하고서 남편과 함께 집집마다 돌며 총 150장의 전단지를 돌렸다. 파티 당일, 그들의 집 마당은 웃고 떠드는 사람들로 구석까지 꽉 찼다.

부부의 집 맞은편에는 싼값에 묵을 수 있는 작은 여관이 있다. 패스티는 문득 고개를 들다가 여관 발코니에 서서 파티를 구경하는 사람들과 눈이 마주쳤다. 순간, 그들을 위해 뭔가를 하라는 성령의 음성이 느껴졌다. 패스티는 이 염가형 여관에 기거하는 사람들을 위해서 성탄절 파티를 열기로 결심했다.

날짜는 12월 15일로 잡고서 구체적으로 계획을 세웠다. 다과와 선물도 사고 성탄 트리도 장식했다. 아이들을 위한 게임 기구도 설치했다. 파티 당일, 건너편 여관에서 100명이 넘는 사람들이 건너왔다. 그중에는 어려운 형편에 학교를 다니는 대학생들도 있었고, 마땅히 살 집이 없는 가정도 있었다. 이 여관에서 수년째 홀로 살고 있다는 노인들도 있었다.

손님들은 요리와 빵, 샐러드, 그리고 온갖 디저트로 이루어진 만찬을 즐겼다. 패스티는 남은 음식을 각자 집에 싸갈 수 있도록 작은 그릇도 나눠 주었다. 그날 많은 사람이 새로운 친구를 사귀었다. 정말 좋은 일이 일어났을 때만 들을 수 있는 맑은 웃음소리가 끊이질 않았다. 그 밤만큼은 우리 시대의 냉소주의와 편협함이 근처에 얼씬도 하지 못했다.

이 행사를 준비하는 일은 보통 힘든 게 아니었다. 부부는 적잖은 시간과 돈, 에너지를 투자해야 했다. 섬기는 일에만 집중하기 위해 개인적인 안위를 내려놓았다. 하지만 결국 그렇게 희생한 것보다도 훨씬 더 큰 것을 받았다.

당신도 매일 이런 섬김을 실천하며 살고 싶은가? 하나님께 구하면 된다. 그러면 그분이 우리의 섬김을 필요로 하는 곳을 보여 주신다. 그런 곳은 사방에 널려 있다. 자신을 부인하는 것, 달리 말해 다른 이들을 사랑하는 것은 가끔씩 해야 하는 일이 아니라 매일같이

해야 하는 일이어야 한다. 다시 말해, 그것이 삶의 방식으로 자리 잡아야 한다. 하나님은 우리의 자기 부인을 통해 온 세상 속으로 그분의 나라를 확장시키신다.

이것은 우리가 죽어야 할 죽음이다. 한 차례의 죽음으로는 부족하다. 부분적인 죽음도 안 된다. 매일같이 완전히 죽어야 한다. 그렇게 나의 끝에 이를 때마다 내가 내내 갈망해 마지않던 것, 바로 그리스도 안에서의 참되고도 풍성한 삶을 찾게 된다.

부록

도전을 던지는 질문

Part 1

1. 예수님의 실재가 느껴졌던 때를 떠올려 보라. 그러고 나서 다음 문장을 완성해 보라.

   "나는 _____ 때 예수님의 실재를 만났다."

2. "심령이 파산한"이 당신에게는 어떤 의미인가? 언제 그런 경험을 했는가?

3. 심령이 가난한 자에게 따르는 복을 당신 나름대로 묘사해 보라.

--- Chapter 2

1. 당신은 깨어진 존재로 보이지 않기 위해서 어떤 방법을 사용하고 있는가?

2. 언제 애통을 경험했는가? 그 애통을 통해 어떤 복을 받았는지 묘사해 보라.

3. 애통에서 비롯하는 복을 보지 못해도 고난을 잘 이겨 낼 수 있을까?

--- Chapter 3

1. 자신의 죄를 직시하는 데서 오는 복을 경험해 봤는가? 어떤 기분이 들었
   는가?

2. 바리새인처럼 행동한 적이 있는가? 어떤 행동이었는가? 솔직히 말해 보
   라. 명심하라. 우리를 자유하게 하는 건 오직 진리뿐이다.

3. 어떤 식으로 자신의 겸손을 자신의 성과로 자랑하고 있는가?

1. 청결한 마음을 당신 나름대로 묘사해 보라.

2. 당신은 어떤 식으로 남들에게 진실하지 못한 모습을 보이곤 하는가?

3. 하나님이나 다른 사람에게 죄를 고백했던 때를 떠올려 보라. 그러고 나니까 기분이 어떠했는가?

Part 2

--- Chapter 1

1. 언제 비워지는 경험을 했는가?

2. 하나님이 어떤 식으로 당신의 빈 공간을 채워 주셨는가?

,

3. 당신 삶 속에서 하나님이 차지해야 할 자리를 어떤 사람, 어떤 장소, 어떤 활동이 대신 차지하고 있는가?

1. 삶 속에서 무력함을 느꼈던 영역이나 상황이 있는가? 지금 당장 행동을 취하기를 바란다. 이를테면 기도하고 누군가에게 털어놓고 결단을 내리라. 당신의 거적을 들고 걸어가라. 무력감을 흩어 버릴 행동을 하라. 무엇을 해야 할지 확실히 모르겠다면 하나님께 묻고 귀를 기울인 다음, 그분이 시키시는 대로 하라.

2. 무엇 때문에 도움을 구하지 못하고 있는가? 이제 그것을 내려놓고 하나님이나 다른 사람에게 도움을 구하겠는가?

3. 무력할수록 좋다는 개념에 대해 어떻게 생각하는가?

1. 하나님께 쓰임 받는 데 돈이나 나이가 중요하지 않다면 하나님이 어떤 일에 당신을 쓰시길 원하는가?

2. 무엇 때문에 하나님을 섬길 자격이 없다고 생각하는가? 누가 그런 것이 걸림돌이라고 말했는가?

3. 당신의 '탈락 요인'을 모조리 나열해 보라. 그런 다음, 그 모든 것을 내려놓으라. 그 모든 것을 떨쳐 버리라. 그 모든 것을 종이에 써서 찢어 버리라.

1. 당신의 약점은 무엇인가?

2. 당신의 약함을 통해 하나님의 강하심을 경험한 적이 있는가? 어떤 경험
   이었는가?

3. 당신은 주로 어떤 식으로 약점을 숨기는가? 약점을 드러내면 어떻게 될까?

--- 에필로그

1. 마태복음 7장 13-14절을 다시 읽어 보라. 당신은 넓은 길로 빠질 때가 얼마나 많은가? 좁은 길로 돌아오기 위해서 어떻게 해야 할까?

2. 마태복음 6장 24-25절을 다시 읽어 보라. 당신은 자신의 목숨을 부지하려고 애쓸 때가 얼마나 많은가?

3. 나의 끝에 이르는 것은 예수님을 위해 내 목숨(자아, 자신의 생존 전술)을 잃는 것이다. 그것은 매일 나에 대해서 죽고 예수님의 역설적인 방식을 의식적으로 선택한다는 뜻이다. 자, 죽을 준비가 되었는가?

자신의 끝에 이르는 여행이 순조롭게 이루어지고 있는가?
내 페이스북이나 웹사이트에 진행 상황을 알려 주면 감사하겠다.
www.facebook.com/kyleidleman
www.kyleidleman.com

주

Part 1

Chapter 1 _____

1. "Evolution of Dance," YouTube video, 6:00, 2006년 4월 6일 Judson Laipply 게재, www.youtube.com/watch?v=dMH0bHeiRNg.

2. "Teaser of the Upcoming Documentary Film Landfill Harmonic," YouTube video, 3:27, 2012년 11월 17일 랜드필하모닉 게재, www.youtube.com/watch?v=fXynrsrTKbI.

3. Brené Brown, *I Thought It Was Just Me (But It Isn't)* (New York: Gotham, 2007), 145.

Chapter 2 _____

1. William Barclay, *The Gospel of Matthew*, vol. 1 (Louisville, KY: Westminster John Knox Press, 2001), 107.

2. Saint Augustine, *Confessions*, vol. 5 (UK: Penguin, 2003), 103.

Chapter 3 _____

1. Warren W. Wiersbe, *Wiersbe's Expository Outlines on the New Testament* (Colorado Springs, CO: David C Cook, 1992), 83.

2. Nik Wallenda와 David Ritz, *Balance: A Story of Faith, Family, and Life on the Line* (New York: FaithWords, 2013), 207-8.

Chapter 4 _____

1. John R. W. Stott, *The Message of the Sermon on the Mount* (Downers Grove, IL: InterVarsity Press, 1985), 49.

나의 끝 / 예수의 시작   246

Part 2

Chapter 1 _____

1. Mother Teresa of Calcutta, *Life in the Spirit: Reflection, Meditations, Prayers*, Kathryn Spink 편집 (San Francisco: HarperCollins, 1983), 31.

2. Tim Kreider, "The 'Busy' Trap," *The Opinion Pages* (blog), *New York Times*, 2012년 6월 30일, http://opinionator.blogs.nytimes.com/2012/06/30/the-busy-trap/?_r=0.

3. Tiffany Limtanakool, "TV-Turnoff Week Promotes Healthy Living," Medscape, www.medscape.com/viewarticle/503758.

4. Quentin Hardy, "The Rise of the Toilet Texter," *Bits*(blog), *New York Times*, 2012년 1월 30일, http://bits.blogs.nytimes.com/2012/01/30/the-rise-of-the-toilet-texter/.

5. Gary Thomas, *The Sacred Search: What If It's Not about Who You Marry, But Why?* (Colorado Springs: CO: David C. Cook, 2013), 29-30. 게리 토마스, 《연애학교》(CUP 역간).

6. D. L. Moody, Josiah Hotchkiss Gilbert, *Dictionary of Burning Words of Brilliant Writers: A Cyclopedia of Quotations from the Literature of All Ages* (New York: Willbur B. Ketcham, 1895), 319쪽에서 인용.

7. D. L. Moody, Martin H. Manser 편집의 *The Westminster Collection of Christian Quotations : Over 6,000 Quotations Arranged by Theme* (Louisville, KY: Westminster John Knox Press, 2001), 47쪽에서 인용.

Chapter 2 _____

1. Michael E. Addis와 James R. Mahalik, "Men, Masculinity, and the Contexts of Help Seeking," *American Psychologist*, 2003년 1월 5일.

2. Frank Minirth와 Paul Meier, *Happiness Is a Choice: New Ways to Enhance Joy and Meaning in Your Life* (Grand Rapids, MI: Baker Books, 2013), 126.

Chapter 3 _____

1. Chuck Colson, "God Used My Greatest Defeat," 설교 "The Gravy Train Gospel"에서 차용한 설교 예화, 2014년 12월 18일에 확인, www.preachingtoday.com/illustrations/2012/may/7050712.html.

Chapter 4 _____

1. Corrie ten Boom, *Tramp for the Lord: The Story that Begins Where The Hiding Place Ends* (Fort Washington, PA: CLC Publications, 2011), 187-89.